EDGAR ALLAN POE

O GATO PRETO
E OUTROS CONTOS EXTRAORDINÁRIOS

EDGAR ALLAN POE

O GATO PRETO
E OUTROS CONTOS EXTRAORDINÁRIOS

Camelot
EDITORA

CONHEÇA NOSSO LIVROS ACESSANDO AQUI!

Copyright desta tradução © IBC - Instituto Brasileiro De Cultura, 2021

Título original: The Black Cat
Reservados todos os direitos desta tradução e produção, pela lei 9.610 de 19.2.1998.

4ª Impressão 2023

Presidente: Paulo Roberto Houch
MTB 0083982/SP

Coordenação Editorial: Priscilla Sipans
Coordenação de Arte: Rubens Martim (capas)
Diagramação: Rogério Pires
Revisão: Suely Furukawa
Tradução e Preparação de Texto: Fabio Kataoka

Vendas: Tel.: (11) 3393-7727 (comercial2@editoraonline.com.br)

Foi feito o depósito legal.
Impresso no Brasil

Dados Internacionais de Catalogação na Publicação (CIP)
(eDOC BRASIL, Belo Horizonte/MG)

P743g   Poe, Edgar Allan, 1809-1849.
   O gato preto e outros contos extraordinários / Edgar Allan Poe. – Barueri, SP: Camelot, 2021.
   15,5 x 23 cm

   ISBN 978-65-87817-39-2

   1. Ficção americana. 2. Literatura americana – Contos. I. Título.
   CDD 813

Elaborado por Maurício Amormino Júnior – CRB6/2422

IBC — Instituto Brasileiro de Cultura LTDA
CNPJ 04.207.648/0001-94
Avenida Juruá, 762 — Alphaville Industrial
CEP. 06455-010 — Barueri/SP
www.editoraonline.com.br

SUMÁRIO

Introdução	7
O gato preto *The Black Cat, 1843*	8
O diabo no campanário *The Devil in the Belfry, 1839*	16
Ligeia *Ligeia, 1838*	24
O mistério de Marie Rogêt *The Mystery of Marie Roget, 1842*	37
Morella *Morella, 1835*	77
Silêncio *Silence, 1832*	82
Eleonora *Eleonora, 1841*	86
O coração delator *The Tell-Tale Heart, 1843*	91
A ilha da fada *The Island of the Fay, 1841*	96
O homem da multidão *The Man of the Crowd, 1840*	101
Uma descida ao Maelstrom *A Descent into the Maelstrom, 1841*	110
O Rei Peste *King Pest, 1835*	124
As recordações de Bedloe *A Tale of the Ragged Mountains, 1844*	134

INTRODUÇÃO

Abrimos esta edição com o extraordinário conto *O gato preto*, que é considerado o conto mais autobiográfico de Edgar Allan Poe. Retrata a vida boêmia e desregrada do autor, que acaba mergulhando num mundo incoerente e louco.

A vida irregular de Edgar Allan Poe, que transmitiu para suas obras, o tornou um dos principais escritores da literatura universal. Suas obras contribuíram para o enriquecimento literário em quase todo o mundo, considerado um dos precursores da literatura de ficção científica e fantástica moderna.

Apresentamos aqui outras histórias fascinantes, com a mesma marca de Poe: suspense, enigmas, mistérios e muita imaginação.

O GATO PRETO

The Black Cat, 1843

Para a intrincada e singelíssima narrativa que vou fazer, não espero nem solicito crédito. Doido seria eu se esperasse, num caso em que os meus próprios sentidos repudiam a sua própria evidência. Contudo – doido é que eu não estou – e tenho a certeza de que não estou sonhando. Mas morro amanhã, e quero hoje descarregar a minha consciência.

O meu propósito imediato é colocar diante do mundo, singelamente, sucintamente, e sem comentários, uma série de meros episódios domésticos. Nas suas consequências estes episódios aterrorizaram-me, torturaram-me, aniquilaram-me. Não tentarei, porém, expô-los. A mim apenas infundiram um certo horror, a muitos parecerão menos terríveis do que barrocos. Mais tarde, talvez apareça alguma inteligência que reduza o meu fantasma às humildes proporções de uma banalidade – alguma inteligência mais calma, mais lógica e muito menos excitável do que a minha, que nas circunstâncias que eu, horrorizado, pormenorizo, nada mais verá do que uma sucessão ordinária de causas e efeitos...

Desde a minha infância eu era apreciado pela docilidade e humanidade da minha índole. Tão bom era o meu coração, que até muitas vezes os meus companheiros faziam de mim o seu joguete. Tinha uma particular afeição pelos animais, e os meus pais permitiam-me possuir uma grande variedade dos que eu mais apreciava, e com estes passava a maior parte do tempo, nunca me sentindo tão feliz como quando lhes dava de comer ou os acarinhava. Esta peculiaridade de caráter intensificou-se com a idade; e, quando homem, aí encontrava as minhas principais fontes de prazer.

Aqueles que nutriram uma afeição profunda por um cão fiel e astuto, quase me dispensam do incômodo de explicar a natureza ou a intensidade do prazer que eu experimentava. Há alguma coisa na abnegação e no desinteressado amor de um animal que profundamente cala o coração daquele que teve frequentes ocasiões de apreciar a fútil amizade e a fugaz fidelidade do que se chama homem.

Eu me casei cedo, e tive a sorte de encontrar em minha mulher um feitio adequado ao meu. Observando a minha predileção pelos animais domésticos, queria

adquirir os mais bonitos e interessantes. Tínhamos pássaros, peixes dourados, um belo cão, coelhos, um macaquinho e um gato.

Este era um corpulento e belo animal, inteiramente preto, e extraordinariamente inteligente. Falando da sua inteligência, minha mulher, que, no íntimo, tinha o seu quê de supersticiosa, aludia frequentemente à antiga crença popular que considerava todos os gatos pretos como bruxas disfarçadas. Não quero dizer que ela afirmasse isto a sério, mas, se menciono o fato, é pela única razão de que vem a propósito recordá-lo.

Plutão era o nome do gato. Ele era o meu companheiro predileto. Só eu é que lhe dava de comer, e ele me acompanhava sempre por todas as dependências da casa. Era até com grande dificuldade que eu o impedia de me seguir na rua.

A nossa amizade durou, dessa forma, por vários anos, até que o meu temperamento geral e o meu caráter começaram, devido à ação do Demônio Intemperança, a sofrer (coro ao confessar) uma radical alteração para pior. Tornei-me, dia após dia, mais antipático, mais irritável, mais desdenhoso dos sentimentos alheios. Permitia-me até usar palavras agressivas com minha mulher. Por fim, até cheguei à violência corporal. Os meus animais prediletos sentiram a mudança do meu temperamento. Não só os desprezei, mas até os maltratei. Plutão, porém, ainda me coibia de o maltratar, mas nos coelhos, no macaco ou mesmo no cão nenhum escrúpulo tinha em bater, quando, por acaso, ou pela sua afeição por mim, me atravessavam o caminho. Mas a minha doença ia-se agravando – pois que doença há comparável ao álcool? – até que por fim o próprio Plutão, que com os anos estava um tanto rabugento, começou a sentir os efeitos do meu mau humor.

Uma noite, chegando em casa muito intoxicado pelo álcool, pareceu-me que o gato evitava a minha presença. Agarrei-o; mas, no susto que lhe causou a minha violência, mordeu-me levemente a mão. Apoderou-se de mim, num relance, uma fúria demoníaca. Nem eu mesmo me reconhecia. A minha alma parecia ter já abandonado o meu corpo, e uma maldade ultrademoníaca, alimentada a álcool, impregnava cada fibra do meu ser. Tirei do bolso do colete um canivete, abri-o, agarrei o pobre bicho pela garganta, e, resolutamente, cortei um olho, arranquei-o da órbita! Coro, ardo, tremo, ao descrever a abominável atrocidade.

Quando, de manhã, recobrei a razão – depois de o sono haver dissipado os vapores da orgia noturna –, experimentei um sentimento, meio de horror, de remorso, pelo crime que perpetrara; mas era, na melhor das hipóteses, um sentimento frouxo e equívoco, e a alma mantinha-se indiferente. Deixei-me levar pelos excessos, e não tardei a afogar em vinho toda a lembrança do ocorrido.

Entrementes, o gato foi-se lentamente restabelecendo. A órbita do olho perdido apresentava, é certo, um aspecto horrendo, mas o bicho parecia já não sofrer. Andava pela casa como de costume, mas, como era de esperar, fugia, espavorido, sempre que eu me aproximava. Restava-me ainda tanto do meu velho coração, que

O Gato Preto

a princípio me magoava esta evidente aversão da parte de um ser que outrora tão meu afeiçoado se mostrara. Este sentimento, porém, depressa cedeu lugar à irritação. E então surgiu, como que para meu final e irrevogável descalabro, o espírito da perversidade.

À filosofia não interessa este espírito. Todavia, eu não estou certo de que a minha alma existe, mas é minha convicção de que essa perversidade é um dos impulsos primitivos do coração humano – uma das indivisíveis faculdades primárias, ou sentimentos, que orientam e dirigem o caráter do homem. Quem, mil vezes, se não encontrou a cometer uma torpeza ou uma estupidez, sem outra razão do que a de saber que não devia fazer tal coisa? Não temos uma perpétua tendência para violar aquilo que é lei, simplesmente porque entendemos que é lei? Foi este espírito de perversidade, como ia dizendo, que veio apressar a minha derrocada final. Foi esta insondável ansiedade da alma de molestar a si própria – de violentar a sua própria natureza – de fazer mal somente pelo prazer – que me instigou a prosseguir e finalmente consumar a série de maldades que eu vinha infligindo ao inofensivo animal.

Uma manhã, a sangue-frio, enfiei-lhe o pescoço num laço e enforquei-o no galho de uma árvore; – enforquei-o com as lágrimas a correrem-me dos olhos e com o mais acerbo remorso no coração; – enforquei-o, porque sabia que ele fora meu amigo e porque sentia que ele nenhum motivo me dera para o maltratar; enforquei-o porque sabia que cometia um pecado – um pecado mortal que arriscaria a minha alma para colocá-la, se tal fosse possível, para além do alcance da infinita mercê do misericordioso e terrível Deus.

Na noite do dia em que perpetrei esta cruel façanha, fui acordado do sono pelo grito de fogo. Estavam em chamas os cortinados da minha cama. Toda a casa estava a arder. Foi com grande dificuldade que eu, minha mulher e uma criada conseguimos nos salvar. Foi completa a destruição. Perdi todos os meus pertences e entreguei-me, daí em diante, ao desespero.

Conservo-me superior à fraqueza de procurar estabelecer uma sequência de causa e efeito, entre o desastre e a atrocidade. Mas estou pormenorizando uma cadeia de fatos e não quero que fique um só elo imperfeito.

No dia imediato ao incêndio, visitei as ruínas. Das paredes só uma ficara de pé. Era uma parede interior, não muito espessa, que ficava no meio da casa, e à qual estava encostada a cabeceira da minha cama. A cal resistira aí, numa grande extensão, à ação do fogo, o que eu atribuí ao fato de a parede haver sido caiada recentemente. Em volta desta parede aglomerava-se uma densa multidão, e muitas pessoas pareciam estar examinando um certo pedaço dela com minuciosa e ávida atenção. As palavras estranho, singular e outras expressões similares excitaram grandemente a minha curiosidade. Aproximei-me, e vi, como que gravada em baixo-relevo sobre a superfície branca da parede, a figura de um gigantesco gato. O desenho era perfeito. Em volta do pescoço do animal estava atada uma corda.

Quando dei com os olhos nesta aparição, atingi o auge do pasmo e do terror. Mas, por fim, veio a reflexão em meu auxílio. O gato, lembrei-me, fora enforcado num jardim adjacente à casa. Ao ser dado o alarme de fogo, este jardim fora imediatamente invadido pela multidão, e uma pessoa qualquer decerto cortara da árvore o animal e atirara-o, por uma janela aberta, para dentro do meu quarto. Provavelmente isto fora feito com a finalidade de me acordar. As paredes, desmoronando-se, comprimiram a vítima da minha crueldade contra a cal recente; as chamas e o amoníaco do cadáver completaram a imagem que tanto espanto suscitava.

Embora à minha inteligência eu apresentasse estas razões, que, aliás, não satisfaziam cabalmente a minha consciência, o fato é que o curioso caso não deixou de impressionar profundamente a minha imaginação. Durante meses não pude ver-me livre do fantasma do gato; e, durante este período, voltou-me ao espírito um leve sentimento que me pareceu, mas não era, remorso. Cheguei a lastimar a perda do animal e a procurar por entre os torpes lugares que eu agora costumava frequentar, outro bicho da mesma espécie parecido com ele para suprir a sua falta.

Uma noite, enquanto eu estava sentado, meio estupefato, a minha atenção foi atraída para um objeto preto, pousado em uma das imensas pipas de aguardente ou de rum que constituíam o principal mobiliário da taberna. Estava olhando atentamente para aquela pipa, durante alguns minutos, e o que me surpreendia era eu não ter visto ali aquele objeto. Aproximei e apalpei: era um gato preto, um gato enorme, do tamanho do Plutão e que dele só num ponto diferia: Plutão não tinha em todo o corpo um só pelo branco; este, porém, tinha uma grande malha branca, de contornos indefinidos, que lhe cobria quase todo o peito.

Mal o toquei, o gato levantou imediatamente, rosnou com força, roçou pela minha mão e deu mostras de satisfação por se ver alvo das minhas atenções. Era este, enfim, o bicho que eu andava procurando.

Pedi imediatamente ao dono que me vendesse; mas este nada quis pelo animal – pois não sabia a sua origem, nunca o tinha visto...

Continuei a afagá-lo; e, quando ia retirar-me, o bichano mostrou-se disposto a acompanhar-me. Permiti que o fizesse, e de vez em quando, pelo caminho, baixava-me e dava-lhe umas palmadinhas. Quando chegou em casa, familiarizou-se imediatamente, e dentro em pouco minha mulher tinha por ele uma especial predileção.

Quanto a mim, devo confessar que daí a pouco comecei a sentir uma crescente antipatia por aquele animal. Era precisamente o inverso do que eu previra; mas – não sei como ou porque foi – a sua evidente afeição por mim me aborrecia e me enojava. Estes sentimentos de aborrecimento e nojo foram-se transformando no

O Gato Preto

azedume do ódio. Evitava o animal; e evitava-o, porque um certo sentimento de vergonha e a recordação da minha crueldade para com o outro, me inibiam de lhe fazer mal. Passaram-se semanas sem que eu o maltratasse; mas pouco a pouco comecei a encará-lo com uma repugnância inexprimível e fugir silenciosamente da sua odiosa presença, como do bafo de um pestífero.

O que, sem dúvida, mais fez com que eu odiasse o animal foi ter descoberto, na manhã seguinte à sua vinda para minha casa, que, como ao Plutão, também lhe faltava um olho.

Esta circunstância, porém, fez com que minha mulher lhe consagrasse maior estima, pois ela, como já disse, possuía, num alto grau, essa humanidade de sentimento que foi minha característica e a fonte de que brotavam muitos dos meus mais simples e mais puros prazeres.

Com a minha aversão por este gato, porém, parecia aumentar a sua simpatia por mim. Seguia os meus passos com uma pertinácia que o leitor teria dificuldade em compreender. Todas as vezes que eu me sentava, deitava-se por baixo da minha cadeira, ou saltava-me para os joelhos, cobrindo-me das suas repugnantes carícias. Se me levantava, se enroscava entre os pés e seguia-me assim para onde quer que eu dirigisse os meus passos, ou, então, fincava-me à roupa as compridas e aguçadas garras e subia até o meu peito. Nessas ocasiões, eu ardia na ânsia de o matar com um murro, mas fui impedido, pela recordação do meu crime anterior e principalmente por um absoluto medo do animal.

Este medo não era precisamente medo de mal físico, no entanto, eu não saberia definir de outro modo. Quase me envergonho de confessar – mesmo, nesta cela da cadeia, que o medo e o horror que o animal me infundira foram exacerbados por uma das quimeras mais banais que seria possível conceber. Minha mulher muitas vezes me chamou a atenção para a malha branca de que falei e que constituía a única diferença visível entre o estranho animal e o que eu matara. O leitor há de lembrar-se de que esta malha, apesar de grande, era indefinida no seu contorno; mas, por transições muito lentas – transições quase imperceptíveis e que por muito tempo a minha razão se esforçou por repelir como fantasiosas – assumira, finalmente uma forma rigorosamente nítida. Era agora a representação de um objeto que eu não posso nomear sem estremecer – e era por este motivo, mais que por qualquer outro, que eu execrava e temia o monstro e dele me teria desfeito, se o tivesse ousado – era agora, dizia eu, a imagem de uma coisa hedionda – de uma coisa tétrica – da forca! – Ó lúgubre e terrível engenho de horror e de crime – de agonia e de morte!

Era agora eu o mais miserável dos miseráveis! E um bruto animal – cujo semelhante eu vilmente assassinei – um bruto animal a torturar-me – a mim, homem feito à imagem e semelhança de Deus – a torturar-me com as angústias insuportáveis! Ai de mim! Nem de dia nem de noite eu conheci mais a ventura do descanso!

De dia o monstro não me deixava um momento só; de noite, acordava hora a hora de sonhos de indizível pavor, em que recebia na cara o bafo quente do bicho e sentia o seu enorme peso – um terrível pesadelo que eu não tinha força para sacudir – esmagando-me eternamente o coração!

Sob a pressão de tais tormentos, os débeis restos de bondade que ainda havia dentro de mim não tardaram a sucumbir. Os pensamentos ruins tornaram-se os meus únicos pensamentos. Passei a odiar todos os seres e toda a humanidade; enquanto, indomáveis acessos de fúria a que eu agora cegamente me entregava, era a minha resignada esposa, a mais frequente e paciente das vítimas.

Um dia acompanhou-me, por qualquer necessidade doméstica, ao subterrâneo do velho prédio que a nossa pobreza nos obrigava a habitar. O gato desceu comigo as escadas e, como me fizesse tropeçar, exasperou-me até a loucura. Agarrando num machado, esquecendo na minha cólera o pueril medo que até aí me detivera a mão, mirei o animal, que teria matado instantaneamente, se o machado tivesse obedecido ao meu desejo. Mas o golpe foi contido pela mão de minha mulher. No auge de uma cólera mais que demoníaca, desvencilhei dela o braço e cravei-lhe o machado no crânio. Caiu morta imediatamente, sem um gemido.

Consumado este horroroso assassinato, apliquei-me, com toda a decisão, à tarefa de esconder o cadáver. Sabia que não podia retirá-lo de casa, nem de dia nem de noite, sem correr o risco de ser visto pelos vizinhos. Atravessaram-me o cérebro muitos projetos. Umas vezes pensava em retalhar o cadáver em pequenos fragmentos e destruí-los pelo fogo. Outras vezes, resolvia abrir uma cova no chão do subterrâneo. Outras, decidia escondê-lo no poço do pátio; outras ainda, achava que o melhor era colocá-lo numa caixa com outras coisas, e mandá-la por um carregador para longe de casa. Finalmente decidi pela solução que me pareceu a melhor de todas: emparedar o cadáver, como se conta que faziam os monges da idade média com as suas vítimas.

Para isto era magnífico o subterrâneo. As suas paredes eram de tijolos e haviam sido pouco antes revestidas de cal grosseira, que a umidade da atmosfera não deixou endurecer. Além disso, numa das paredes havia restos antigos de uma chaminé ou de um fogão, que fora depois revestido de maneira a ficar igual ao resto do compartimento. Certifiquei-me de que podia prontamente deslocar os tijolos, esconder o cadáver e tapar a parede, de maneira a ninguém poder enxergar o mínimo vestígio suspeito.

E não me enganei neste cálculo. Por meio de uma alavanca de ferro, facilmente removi os tijolos; e, tendo cuidadosamente depositado o cadáver de encontro à parede interior, finquei-o nessa posição, enquanto, sem grande trabalho, pus de novo tudo tal qual anteriormente se encontrava. Com todas as precauções possíveis, arranjei cal e areia e apliquei sobre os tijolos uma camada, que não poderia facilmente distinguir-se da velha. Terminada a minha tarefa, senti-me satisfeito ao verificar que tudo estava nos devidos termos. A parede não apresentava o mais leve vestígio de haver sido mexida. Apanhei com o maior cuidado os detritos que caíram ao chão. Olhei triunfantemente em volta de mim e exclamei:

– Até que enfim! Não foi em vão o meu trabalho!

O meu primeiro cuidado foi, depois, procurar o animal que fora causa de tanta maldade pois resolvera, finalmente, matá-lo. Se tivesse podido apanhá-lo naquele momento, nenhuma dúvida poderia haver sobre a sua sorte, mas parecia que o astuto bicho, alarmado com a violência da minha fúria, evitava agora a minha presença. É impossível descrever ou imaginar a profunda, a abençoada sensação de alívio que na minha alma causou a ausência do detestado animal. Passou a noite toda sem aparecer; e, assim, por uma noite, pelo menos, desde que o trouxe para casa, eu dormi profunda e tranquilamente – sim, dormi, mesmo com um assassinato a pesar-me na alma!

Passaram-se mais dois dias, e o meu algoz não apareceu. Respirei como um homem livre.

O monstro, aterrado, fugira de casa para sempre! Nunca mais o veria! A minha felicidade era suprema! O meu feito pouco me inquietava. Haviam sido feitas umas investigações, mas a todas respondi com presteza. Tinham até feito uma busca; mas é claro que nada descobriram. Considerava assegurada a minha felicidade futura.

No quarto dia depois do crime, entraram inesperadamente em casa uns policiais e procedera uma nova busca em toda a casa. Certo, porém, da impenetrabilidade do meu segredo, eu não sentia nenhuma espécie de receio. Os policiais pediram-me que os acompanhasse na busca. Não deixaram recanto algum por explorar. Por fim, pela terceira ou quarta vez, desceram ao subterrâneo. Nem um músculo me tremeu. O coração batia-me serenamente, como bate o do inocente que dorme.

Percorri o subterrâneo, cruzei os braços sobre o peito e andei, tranquilamente, de um lado para outro. Os policiais mostravam-se absolutamente satisfeitos. O júbilo do meu coração era forte demais para poder ser reprimido. Ardia na ânsia de dizer uma palavra só que fosse, uma palavra de triunfo, que lhes duplicasse a certeza da minha inocência.

– Senhores, disse, finalmente, quando os policiais subiam as escadas, tenho muito prazer em ter destruído as suas suspeitas. Desejo-lhes saúde e um bocadinho mais de cortesia. A propósito, cavalheiros, isto – isto é que é uma casa bem construída! (No desvairado desejo de dizer alguma coisa, eu mal sabia o que dizia.) Permitam-me dizer-lhes que é uma casa excelentemente construída.

Vejam estas paredes: são de uma solidez a toda a prova!

Ao proferir estas palavras, por mero frenesi de bravata, bati fortemente com uma bengala que tinha na mão, bem no lugar da parede onde estava oculto o cadáver da minha esposa.

Mas Deus me proteja e me livre das garras do demônio! Ainda mal tinha se apagado o eco das pancadas, quando ouvi uma voz oriunda do túmulo! Era um grito, inicialmente abafado e entrecortado, como o soluço de uma criança, e depois engrossando e dilatando-se até se transformar num berro longo, retumbante, absolutamente anormal e inumano – um uivo – um grito ululante, misto de horror e de triunfo, como só do inferno poderia sair, simultaneamente, das gargantas dos réprobos na sua agonia e dos demônios que exultam com os sofrimentos das suas vítimas.

Loucura seria falar dos meus sentimentos. Desmaiei e caí de encontro à parede. Por uns momentos, os policiais ficaram imóveis, nas escadas, no auge do terror e do assombro. Passados esses momentos, em que a surpresa os paralisara, doze braços vigorosos atiraram-se à cal da parede. Caiu logo toda de uma vez. O cadáver, já muito decomposto e coalhado de sangue, surgiu, de pé, ante os olhos atônitos dos espectadores. Empoleirado sobre a sua cabeça, com a boca vermelha distendida e o olho único faiscante, estava o hediondo animal, que me havia levado ao assassinato, sua voz denunciante me entregava às mãos do carrasco!

Eu havia emparedado o monstro dentro do túmulo da minha mulher!

O DIABO NO CAMPANÁRIO

The Devil in the Belfry, 1839

O burgo holandês de *Vondervotteimittis* é considerado, ou era, o melhor e o mais belo lugar do mundo. Entretanto, por situar-se bem afastado das principais estradas e ter uma aparência excêntrica, certamente nenhum dos meus leitores jamais o tenha visitado.

Para quem nunca esteve lá, parece-me oportuno citar alguns detalhes a seu respeito. E tanto mais necessária é essa explicação, na verdade, quanto é feita com o intuito de conciliar os seus habitantes com a simpatia pública. Por isso é que vou narrar os calamitosos acontecimentos de que foi palco. Pessoa alguma das que me conhecem duvidará que, para cumprir essa minha missão, eu não desenvolva

todo o meu talento com a rígida imparcialidade e dê o testemunho digno de um historiador.

A partir do exame comparativo de medalhas, manuscritos e inscrições, estou capacitado a afirmar categoricamente que o burgo de *Vondervotteimittiss* sempre teve o mesmo aspecto desde suas origens. A respeito da data de sua origem, porém, lamento só poder falar com aquela espécie de indeterminação que os matemáticos se veem, às vezes, forçados a usar em relação a certas fórmulas algébricas. No que tange, pois, a sua remota antiguidade, essa data, se assim posso dizer, não pode ser menor que qualquer quantidade determinável.

Quanto à origem da palavra *Vondervotteimittiss*, também confesso desconhecer. Em meio a numerosas opiniões sobre esse delicado ponto, umas argutas, outras eruditas, outras bem o contrário, nada posso selecionar que deva ser considerado satisfatório. Talvez a opinião de Grogswigg, quase coincidente com a de Kroutaplenttey, deva ser prudentemente preferida. É a seguinte: *Vondervotteimittiss – Vonder, lege Donder – Votteimittiss, quasi und Bleitziz – Bleitziz obsol: pro Blitzen*. Evidentemente, tal derivação ainda é sustentada por alguns restos do fluido elétrico visíveis no alto do campanário da Casa do Conselho Municipal. Não pretendo, contudo, arriscar-me a opinar sobre tese de tanta importância, e devo encaminhar o leitor ávido de informações ao *Oratiunculae de Rebus Proeter Veteris*, de Dundergutz. Ver também Blunderbuzzard, *De Derivationibus*, pp. 27 a 5010, in-fólio, edição gótica, caracteres vermelhos e negros, com chamadas e sem monograma; consultar também as notas marginais no autógrafo de Stuffundpuff, com os subcomentários de Gruntundguzzell.

Pouco se sabe sobre a data da fundação de *Vondervotteimittiss* e a origem de seu nome, mas o burgo sempre existiu tal como o vemos na época atual. Seu mais velho habitante não pôde recordar-se da insignificante mudança aparência da sua terra natal e, de fato, a simples sugestão de tal possibilidade é considerada um insulto. A aldeia fica num vale perfeitamente circular, com cerca de quatrocentos metros de circunferência, e é totalmente cercada de colinas. Os habitantes do condado jamais se aventuraram a ultrapassar os cumes, justamente por acreditarem não haver absolutamente coisa alguma do outro lado.

Em volta dos limites do vale, que é completamente plano e todo pavimentado de tijolos lisos, estende-se uma série de sessenta casinhas. Estas, com fundos para as colinas, têm a frente voltada para o centro, que fica justamente a sessenta metros da porta de entrada de cada habitação.

Cada casa tem um pequeno jardim à frente, com um caminho circular, um relógio de sol e vinte e quatro couves. As próprias construções são tão iguais que é impossível distinguir uma da outra. Devido a sua extrema antiguidade, o estilo arquitetônico é um tanto esquisito, mas nem por isso deixa de ser encantador e pitoresco. As casas são feitas de pequenos tijolos bem cozidos, vermelhos com cantos pretos, de modo que as paredes parecem um tabuleiro de xadrez em grande escala.

As torres estão voltadas para a frente e há molduras, tão grandes quanto todo o resto da casa, sobre os beirais e as portas principais. As janelas são estreitas e profundas, com pequeninas vidraças e muitos caixilhos. Nos telhados, são numerosas as telhas com longas pontas arrebitadas. Todo o madeiramento é de uma cor escura, muito lavrada, mas com pouca variedade de desenhos, pois, antigamente, os entalhadores de *Vondervotteimittiss* nunca foram capazes de entalhar mais do que dois objetos: um relógio de mesa e uma couve. Mas eles entalham incrivelmente bem, e os entremeiam com singular habilidade onde quer que encontrem vaga para o cinzel.

As moradias tanto se parecem por dentro como por fora, e o mobiliário obedece a um só modelo. O chão é de tijolos quadrados, as cadeiras e mesas de madeira preta, com pernas delgadas e curvas, e pés de grifo. As chaminés são altas e largas, e não têm somente relógios e couves entalhados na frontaria, mas um relógio de verdade, que emite um prodigioso tique-taque, bem no meio e no alto, com um jarro de flores de cada lado, cada um contendo uma couve, como se fossem batedores. Entre cada couve e o relógio há, por sua vez, um homenzinho de porcelana dotado de uma grande barriga, e nela se abre um buraco redondo através do qual se vê o mostrador de um relógio.

As lareiras são largas e profundas, com porta-lenhas grosseiros e retorcidos. Constante fogo se alteia ali, com uma imensa panela sobre ele, cheia de chucrute e carne de porco, sempre vigiada pela trabalhadeira e boa dona da casa. Trata-se de uma velhinha gorducha, de olhos azuis e rosto vermelho, usando uma enorme touca semelhante a um pão de açúcar, ornada de fitas vermelhas e amarelas. Seu vestido é de lã cor de laranja, muito amplo atrás e mais justo na cintura. É curtíssimo, não passando da metade do comprimento das pernas. Estas e os tornozelos são grossos, mas cobertos por um lindo par de meias verdes. Seus sapatos, de couro cor-de-rosa, são amarrados por um laço de fitas amarelas, pregueadas em forma de couve. Na mão esquerda, ela usa um pequeno e pesado relógio holandês e, na direita, empunha um colherão para o chucrute e a carne de porco. A seu lado, aninha-se um gordo gato malhado, trazendo amarrado à cauda um relógio dourado de brinquedo.

Todos os três meninos da casa cuidam do porco no jardim. Cada um tem meio metro de altura. Usam chapéus de três pontas, coletes vermelhos que vão até as coxas, calções de couro de gamo, meias de lã vermelha, sapatões com grandes fivelas de prata e longos capotes, com grandes botões de madrepérola. Cada um tem também um cachimbo na boca e carrega um pequeno relógio barrigudo na mão direita. Solta uma baforada e dá uma olhadela para o relógio, outra baforada e outra olhadela.

O porco, corpulento e preguiçoso, está ocupado ora em fuçar as folhas esparsas caídas dos pés de couve, ora em dar um pontapé para trás no relógio de repetição que os garotos o amarraram também à cauda, a fim de fazer com que ele pareça tão belo quanto o gato.

Bem defronte da porta, numa cadeira de encosto alto, fundo de couro, pernas torneadas e pés de cachorrinho, como os das mesas, está sentado o próprio dono da casa. É um velhinho bem gorducho, com grandes olhos redondos e uma imensa papada. Seu traje se assemelha ao dos meninos. Portanto, não preciso dizer nada mais a respeito. A diferença está no seu cachimbo, que é um pouco maior do que o deles, permitindo que faça mais fumaça. Como os garotos, tem um relógio, mas leva-o no bolso. Para falar a verdade, ele tem algo mais importante do que o relógio para cuidar. Exatamente sobre isso, explicarei a seguir. Ele se senta com a perna direita sobre o joelho esquerdo, mostra uma fisionomia grave e conserva sempre um dos olhos, pelo menos, resolutamente fixo sobre certo objeto notável no centro do largo.

Esse objeto se encontra no campanário da Casa do Conselho Municipal. Os conselheiros são todos homens pequeninos, redondos, gorduchos e inteligentes, com grandes olhos de boi e gordas papadas, além de capotes muito mais compridos e as fivelas dos sapatos muito maiores do que os habitantes comuns de *Vondervotteimittiss*.

Desde o começo de minha estada no burgo, eles tiveram várias reuniões especiais e adotaram estas três importantes resoluções:

Que é errado alterar o bom e velho curso das coisas.

Que nada existe de tolerável fora de *Vondervotteimittiss*.

Que juramos fidelidade aos nossos relógios e couves.

Bem acima da sala de sessões do conselho fica a torre, e, na torre, o campanário, onde existe, e tem existido desde tempo imemorável, o orgulho e a maravilha da aldeia: o grande relógio do burgo de *Vondervotteimittiss*. E é para esse objeto que se volvem os olhos dos velhos sentados nas cadeiras. de braços e fundo de couro.

O grande relógio tem sete faces, uma em cada um dos sete lados da torre, de modo que pode ser devidamente visto de todos os lugares. Seus mostradores são largos e brancos, e os ponteiros, grossos e negros. Há um sineiro que tem uma só obrigação, ou seja, cuidar do campanário. Trata-se de uma função bem paga para pouquíssimo trabalho, pois o relógio de *Vondervotteimittiss* nunca, ao que se saiba, precisou de conserto. Até recentemente, a mera suposição de tal coisa era considerada herética.

Desde os tempos remotos de que os arquivos guardam referências, as horas têm sido regularmente batidas pelo grande sino. A bem da verdade, a mesma coisa acontecia com todos os relógios de parede e de bolso do burgo. Jamais houve lugar onde se marcasse tão bem a hora certa. Quando o grande

O Gato Preto

badalo achava conveniente dizer *doze horas*, todos os seus obedientes seguidores abriam suas gargantas simultaneamente e respondiam como um eco. Em suma, os bons burgueses orgulhavam-se de seu chucrute, mas também de seus relógios.

Todas as pessoas que exercem sinecuras são tratadas com certo respeito. Como o sineiro de *Vondervotteimittiss* tinha a mais perfeita das sinecuras, era o mais respeitado de todos os homens do mundo. É o principal dignitário do burgo, e até os porcos olham para ele com um sentimento de reverência. A gola de seu capote é bem mais comprida; seu cachimbo, as fivelas de seus sapatos, seus olhos e sua barriga, bem maiores do que os de qualquer outro velho da aldeia, e quanto a sua papada, é não somente dupla, mas tripla.

Acabo de descrever o feliz estado de *Vondervotteimittiss*. Que pena que tão lindo quadro devesse algum dia experimentar um revés!

Há muito tempo que um velho ditado corria entre seus mais sábios habitantes: nada de bom pode vir de além das colinas. Realmente, parece que as palavras continham em si algo de profético. Anteontem, faltavam cinco para o meio-dia quando apareceu um objeto bastante esquisito no cume da crista leste. Obviamente, que tal fato atraiu a atenção de todos, e cada velhinho sentado em sua cadeira de braços e fundo de couro voltou um dos olhos, com um olhar de consternação, para o fenômeno, embora conservando ainda o outro olho no relógio da torre.

Quando faltavam apenas três minutos para o meio-dia, verificou-se que o estranho objeto em questão era um jovem bem pequeno e de aparência estrangeira. Ele desceu apressadamente as colinas, de modo que todos logo puderam vê-lo bem. Era, na realidade, a criatura mais esquisita que jamais havia sido vista em *Vondervotteimittiss*. Seu rosto era de uma negra cor de rapé e ostentava um longo nariz adunco, olhos miúdos, boca larga e uma admirável dentadura, que ele parecia ansioso por exibir, escancarando a boca de orelha a orelha.

De bigodes e suíças, nada mais se podia ver do restante do rosto. A cabeça estava descoberta, e o cabelo tinha sido cuidadosamente arranjado com papelotes. Seu traje era uma casaca preta, bem apertada, terminando em cauda de andorinha (de um dos bolsos pendia um enorme lenço branco), calções de casimira preta, meias pretas e sapatos antigos, tendo como laços enormes molhos de fita de cetim preto. Sob um braço, levava um desmedido chapéu e, debaixo do outro, um violino quase cinco vezes maior que ele próprio. Na mão esquerda, trazia uma tabaqueira de ouro, da qual, enquanto dava pulos de alegria colinas abaixo e passos fantásticos, ia tomando continuamente pitadas com um ar de maior prazer possível. Valha-me Deus! Que espetáculo para os honestos burgueses de *Vondervotteimittiss*!

Indiscutivelmente, o sujeito tinha, a despeito de seu sorriso, uma espécie de cara audaciosa e sinistra. Ao andar diretamente rumo à aldeia, o aspecto esquisito de seus sapatos levantou muitas suspeitas. Mas o que, acima de tudo, causou grande indignação foi que o velhaco, enquanto dançava um fandango aqui e dava uma pirueta ali, não parecia ter a mais remota ideia daquilo que se chama marcar compasso na dança.

As pessoas do vilarejo, contudo, mal tiveram chance de abrir os olhos completamente quando, ao faltar meio minuto exato para o meio-dia, o patife saltou, como eu disse, bem no meio delas. Deu um salto aqui, um balanço ali e, em seguida, depois de uma pirueta magnífica, subiu a voo de pombo para o campanário da sede do Conselho Municipal, onde o aterrorizado sineiro estava sentado, fumando, num estado de dignidade e pavor. Imediatamente, o sujeitinho agarrou-o pelo nariz, deu-lhe uma pequena pancada e um puxão, bateu-lhe com o grande chapéu na cabeça.. Depois, ao levantar o violino, deu com ele no homem por tanto tempo e tão fortemente que, pelo fato de ser o sineiro tão gordo e o violino oco, podia-se jurar que havia ali um regimento inteiro de tocadores de bumbos, batendo todos os tambores do diabo no campanário da torre de *Vondervotteimittiss*.

Certamente os habitantes se vingariam daquele ataque revoltante, não fosse o decisivo fato de faltar agora apenas meio segundo para o meio-dia. O sino estava quase a bater, e era questão de absoluta e extrema necessidade que todos olhassem bem para seus relógios. Porém, lá na torre, justamente nesse momento, o velhaco fazia algo que não lhe competia com o relógio. Mas como o relógio começou a bater, ninguém teve tempo de prestar atenção às manobras do tal sujeito. Afinal, todo mundo tinha de contar as baladas do sino à medida que soavam.

– Uma! – disse o relógio.

– Uma! – respondeu em eco de cada um dos velhotes em cada uma das cadeiras de braço e fundo de couro em *Vondervotteimittiss*. Uma! – disse também o relógio de bolso deles. E uma! – disse outro relógio. E uma! – disseram os relógios dos meninos e os relógios de repetição, nas caudas do gato e do porco.

– Duas! – continuou o grande sino. E:

– Duas! – disseram todos os repetidores.

– Três! Quatro! Cinco! Seis! Sete! Oito! Nove! Dez! – disse o sino.

– Três! Quatro! Cinco! Seis! Sete! Oito! Nove! Dez! – responderam os outros.

– Onze! – disse o sino grande.

–Onze! – concordaram os pequenos.

– Doze! – disse o sino.

– Doze! – replicaram eles, perfeitamente satisfeitos e baixando já o tom de voz.

– E doze! – disseram todos os velhinhos, tornando a guardar seus relógios. Mas o sino grande ainda não havia dado a coisa por terminada.

– Treze! – disse ele.

– O diabo! – disseram ofegantes os velhotes, empalidecendo e deixando cair os cachimbos e as pernas direitas em cima dos joelhos esquerdos. – O diabo! – gemiam eles.

Por que tentar descrever a terrível cena que se seguiu? Toda *Vondervotteimittiss* entregou-se de pronto a lamentável tumulto.

– O que vai acontecer a minha barriga? – berravam todos os rapazes. – Estou com fome faz uma hora!

– O que vai acontecer ao meu repolho? – diziam as mulheres.

– E todos os velhotes tornaram a encher os cachimbos com muita raiva e, afundando-se nas cadeiras , davam baforadas tão rápidas e violentas que todo o vale ficou totalmente impregnado de fumaça.

Nesse meio tempo, todas as couves ficaram bem vermelhas, e parecia que o próprio velhaco maldito tinha tomado posse de tudo quanto tinha forma de relógio. Os relógios esculpidos nos móveis começaram a dançar como se estivessem enfeitiçados. Os que estavam sobre as chaminés mal podiam conter-se de furor, batendo tão continuamente as treze horas, com tais pulos e balanços dos pêndulos, que era coisa realmente horrível de se ver.

O pior de tudo era que nem os gatos, nem os porcos podiam suportar por mais tempo a conduta dos pequenos relógios de repetição amarrados a suas caudas. Eles saíam em disparada por toda parte, arranhando, voando de encontro às casas, correndo para baixo dos capotes das pessoas e criando a mais completa, a mais abominável, a mais barulhenta confusão que uma pessoa normal pode conceber.

A situação lá na torre ficava cada vez mais angustiante, pois o velhaco malandro não parava de se exceder. De vez em quando, podia-se vislumbrar o patife através da fumaça. Continuava sentado no campanário, em cima do sineiro, que, de costas, jazia espichado. Nos dentes, o infame conservava a corda do sino, que agitava em torno com a cabeça, fazendo tremenda barulheira que meus ouvidos ainda retinem só de pensar nisso. Em seus joelhos repousava o enorme violino, cujas cordas ele tangia fora de qualquer compasso ou tom, com ambas as mãos, procurando exibir-se, o palhaço, a tocar a canção *Judy O'Flannugan und Puddy O'Rafferty*.

Ao presenciar aquela situação deplorável, deixei a praça desgostoso e vim apelar para o concurso de todos aqueles que gostam do bom chucrute e da hora exata. Marchemos em massa contra o burgo e restauremos a antiga ordem das coisas em *Vondervotteimittiss*, expulsando o velhaco do alto do campanário.

Ligeia, 1838

Há nisto uma vontade que não morre. Quem conhece os mistérios da vontade e a sua força?

Porque Deus não é mais que uma grande vontade, penetrando todas as coisas com a intensidade que lhe é própria. O homem só cede aos anjos e só se submete por completo à morte pela fraqueza da sua pobre vontade.

– Joseph Glanville

Juro pela minha alma que não me lembro quando, nem onde vi, pela primeira vez, lady Ligeia. Desde então, longos anos se passaram, e os muitos sofrimentos por que passei afetaram minha memória. Provavelmente não posso me recordar agora desses detalhes porque, na verdade, a personalidade de minha bem-amada, sua excepcional inteligência, seu singular embora suave tipo de beleza, a emocionante e aliciadora eloquência da sua doce fala musical conquistaram meu coração tão furtiva e constantemente que mal me dei conta deles.

Penso que a encontrei pela primeira vez, e que depois voltamos a nos ver muitas outras, numa cidade antiga situada às margens do Reno.

Se alguma vez me falou de sua família, deve ter sido em uma data tão longínqua que não tenho a menor ideia.

– Oh, Ligeia, Ligeia!

Imerso em estudos cuja natureza alivia as impressões do mundo exterior, basta-me esta palavra tão doce – Ligeia! – para trazer-me de volta aos sonhos da fantasia a imagem daquela que não vive mais. Mesmo hoje, enquanto escrevo, vem como um clarão a ideia de que nunca soube o nome da família daquela que foi minha amiga e noiva, depois se tornou a companheira de meus estudos e, finalmente, a esposa do meu coração.

Foi um capricho de Ligeia? Foi uma prova da força do meu afeto em não pedir informação alguma a esse respeito? Ou então abnegação, qualquer coisa como a oferenda romântica de um culto apaixonado? Não sei! Mal me lembro do fato em si; não é de admirar que tenha esquecido as circunstâncias que o motivaram e acompanharam. Mas se alguma vez Ashtophet do Egito antigo, com asas tenebrosas, presidiu uma união de mau prenúncio, foi, sem dúvida, as minhas núpcias.

Apesar de tudo, minha memória não me trai em relação à aparência e jeito de ser de Ligeia. Era alta, um tanto delgada e, em seus últimos dias, bastante emagrecida. Tentaria em vão descrever a majestade, o calmo desembaraço, a incompreensível leveza e elasticidade do seu andar. Ela chegava e partia como uma sombra. Nada denunciava sua entrada em meu gabinete de trabalho, a não ser, como já disse, a sua veludosa fala, quando colocava a mão delicada e fria sobre meu ombro. Em beleza de rosto, mulher alguma a igualou. Era o brilho de um sonho de ópio, visão aérea e encantadora, mais exaltadamente divina que as fantasias a flutuarem sobre as almas dormentes das filhas de Delos. Embora, nada havia em suas feições daquele modelado regular que aprendemos a cultuar nas obras clássicas do paganismo. "Não existe beleza rara sem algo de estranho nas proporções." explica lorde Verulam, referindo-se, na realidade, a todas as formas e tipos de beleza, Todavia, apesar de reconhecer que as feições de Ligeia não eram de regularidade clássica, mas percebesse que seu encanto era inegavelmente raro e sentisse o muito que havia de estranho , mesmo assim eu tentava inutilmente localizar a irregularidade e formular minha própria concepção de estranho.

Admirava o contorno de sua fronte elevada e pálida – era impecável. Como poderia palavra tão inexpressiva ser aplicada a majestade tão divina! A cútis competia com o mais puro marfim, a suave proeminência das regiões superiores às têmporas. Negra como asa de corvo, a cabeleira era brilhante, viçosa e levemente ondulada. Dava pleno significado ao epíteto homérico: "hiacintina".

Olhava as delicadas linhas do nariz: em nenhum lugar, a não ser nos graciosos medalhões dos hebreus, havia eu visto semelhante perfeição. Era a mesma voluptuosa maciez de superfície, a mesma quase imperceptível tendência para o aquilino, as mesmas narinas harmoniosamente arredondadas a revelar o espírito livre.

Apreciava a boca encantadora. Ali estava, indiscutivelmente, o triunfo de todas as coisas celestes: a curva magnífica do breve lábio superior, o jeito macio e voluptuoso do inferior, as travessas covinhas do rosto, a cor que falava, o brilho deslumbrante dos dentes como raios sagrados que modificavam, quando ela sorria o mais plácido, sereno e, ao mesmo tempo, o mais exultante de todos os sorrisos. Examinava a forma do queixo, no qual também percebia a graciosidade da largura, a maciez e majestade, a plenitude e a espiritualidade dos gregos, o contorno que o deus Apolo somente em sonho revelara a Cleômenes, o filho do ateniense.

Por fim, eu contemplava os grandes olhos de Ligeia. Até mesmo os olhos, não encontramos modelos na antiguidade . Pode ser que nos olhos de minha bem-amada estivesse o segredo a que lorde Verulam alude. Acredito que eles fossem bem maiores que os olhos comuns à nossa raça. Aliás, eram mais rasgados que os olhos amendoados da tribo do vale de Nourjahad. Contudo, só ocasionalmente, fazia-se notar essa peculiaridade de Ligeia. Seguramente, sua beleza – pelo menos, assim a via minha fantasia exaltada – copiava a beleza dos seres extraterrenos, a beleza da fabulosa huri dos turcos. As pupilas eram do negro mais brilhante, ensombradas por longas pestanas de azeviche. As sobrancelhas, de contorno irregular, tinham a mesma cor. A estranheza, todavia, que eu descobria nesses olhos não estava relacionada ao formato, à cor ou ao brilho deles; vinha, antes, da expressão. Ah, palavra sem sentido, sob cuja ampla latitude de mero som sepultamos nossa ignorância de tantas coisas espirituais!

A expressão dos olhos de Ligeia! Quantas vezes refleti sobre isso! Quanto lutei, durante uma noite inteira de verão, para sondá-la! Que era aquilo, mais profundo que o poço de Demócrito, jacente bem no fundo das pupilas de minha bem-amada? Que era aquilo? Dominava-me a ânsia de descobrir. Aqueles olhos, aquelas enormes e brilhantes e divinas pupilas, tornaram-se para mim as estrelas gêmeas de Leda, e eu me verti no mais devoto dos astrólogos.

Entre as muitas e incompreensíveis anomalias da ciência da mente nada existe de mais sutilmente excitante que o fato de, em nossos esforços de recordar algo desde há muito esquecido, encontrarmos na iminência da recordação, sem, contudo, sermos capazes de, finalmente, lembrar. Acredito que esse detalhe não é jamais percebido nas escolas. Assim, quantas vezes, ao apreciar os olhos de Ligeia, não senti aproximar-se o conhecimento completo de sua expressão, senti-o aproximar-se, para vê-lo desaparecer por completo dali a instantes! E encontrei nos corriqueiros objetos do universo um círculo de analogias daquela expressão. É o mais estranho de todos os mistérios!

Confesso que, logo depois do período em que a beleza de Ligeia passou para o meu espírito, ali se entronizando como um altar, deduzi das muitas existências do mundo material um sentimento idêntico àquele que me rodeava e me penetrava quando seus grandes e luminosos olhos me fitavam. Mesmo assim, mais do que nunca eu me sentia incapaz de definir, de analisar, de sequer enxergá-lo claramente.

Reconheci-o, repito, algumas vezes na contemplação de uma vinha em crescimento, na contemplação de uma falena, de uma borboleta, de uma crisálida, de um riacho de águas murmurantes. Senti-o no oceano, na queda de um meteoro. Senti-o nos olhares das pessoas extraordinariamente velhas. E há uma ou duas estrelas no céu (uma particularmente, uma estrela da sexta magnitude, dupla e mutável, próxima da estrela grande de Lira) que, vistas pelo telescópio, comunicaram-me sensação igual.

Certos sons de instrumentos de corda e, não raro, trechos de livros provocaram-na também. Entre outros exemplos, lembro-me bem de algo lido num volume de Joseph Glanvill que (talvez devido apenas a sua singularidade – quem o sabe?) nunca deixou de inspirar-me tal sentimento:

"E ali dentro está a vontade, que não morre. Quem conhece os mistérios da vontade e do seu vigor? Pois Deus não é mais que uma grande vontade, penetrando todas as coisas pela qualidade de sua aplicação. O homem não se entrega aos anjos, nem se rende inteiramente à morte, senão pela fraqueza de sua débil vontade."

O passar dos anos e as meditações subsequentes permitiram-me traçar uma remota conexão entre essa passagem do moralista inglês e uma parte da personalidade de Ligeia. A intensidade de pensamento, ação ou palavra era nela possivelmente um resultado, ou, pelo menos, um índice da poderosa vontade que, durante nosso longo intercâmbio, jamais deu provas mais imediatas de sua existência.

Dentre todas as mulheres que conheci, ela – a aparentemente calma Ligeia, a sempre plácida Ligeia –, mais do que qualquer outra, era presa dos tumultuosos abutres da paixão desenfreada. E de tal paixão eu só podia formar estimativa pela miraculosa dilatação daqueles olhos que, ao mesmo tempo, me encantavam e atemorizavam; pela quase mágica melodia, modulação, clareza e placidez de sua voz tão grave; e pela feroz energia (tornada duplamente efetiva pelo contraste com seu modo de expressão) das fogosas palavras por ela ditas habitualmente.

Volto a me referir ao saber de Ligeia. Era imenso, tal como eu nunca vira em mulher alguma. Era profundo seu conhecimento das línguas clássicas e também dominava os modernos dialetos da Europa.

Afirmei que seu saber era tal que jamais encontrei semelhante em mulher alguma, mas onde está o homem que percorreu com êxito todas as amplas áreas da ciência moral, física e matemática? A essa altura, eu não enxergava, como agora, de que os conhecimentos de Ligeia eram gigantescos, espantosos. No entanto, conhecia suficientemente sua infinita supremacia para resignar-me, com uma confiança infantil, a ser guiado por ela através do mundo caótico das investigações metafísicas nas quais estive ativamente empenhado nos primeiros anos de nosso casamento. Com que vasto triunfo, com que vívido prazer, com que profunda esperança etérea eu sentia, quando ela se inclinava sobre mim, em estudos apenas devassados, mas pouco conhecidos, abrir-se aos poucos à minha frente aquela deliciosa perspectiva por cujos longos, suntuosos e de todo indevassados caminhos eu poderia avançar até uma sabedoria preciosa e divina demais para ser esquecida!

Doloroso, pois, haveria de ser a aplicação com que, anos mais tarde, contemplei minhas bem fundadas esperanças criarem asas e fugirem para sempre! Sem Ligeia, eu não era senão uma criança tateando no escuro. Sua presença e as leituras que fazia tornavam intensamente luminosos os muitos mistérios transcendentais que nós estudávamos. A falta do radiante lume de seus olhos, aquela literatura, dourada e ligeira, tornou-se mais opaca do que o chumbo. Assim, aqueles olhos brilhavam cada vez com menos frequência sobre as páginas que eu estudava. Ligeia adoeceu! Os olhos ardentes brilhavam com gloriosa e demasiado esplendor;

os dedos pálidos pareciam de cera e fúnebres; as veias azuladas da alta fronte alteravam-se à mais leve emoção. Percebi que ela ia morrer – e lutei desesperadamente em espírito contra o inflexível Azrael. E, para meu espanto, os esforços daquela mulher apaixonada eram mesmo mais enérgicos do que os meus. Muito havia em sua firme natureza para fazer-me acreditar que, para ela, a morte viria sem terrores; mas não foi assim. As palavras são impotentes para expressar com exatidão a tenacidade da resistência por ela oposta à sombra. Eu gemia de angústia diante da triste situação. Queria acalmá-la, queria persuadi-la, mas, na intensidade do seu ardente desejo de viver, de viver, viver apenas, alívio e persuasão teriam sido o cúmulo da loucura.

Nem mesmo no instante derradeiro, entre as mais convulsivas contorções de seu espírito ardente, foi abalada a placidez do seu porte. Sua voz tornou-se mais suave, mais aveludada. Mesmo assim, eu não gostaria de relembrar o significado fantástico das palavras então pronunciadas secretamente. Meu cérebro vacilava quando eu ouvia, transportado por melodia sobre-humana, elevações e aspirações que os mortais jamais tinham conhecido.

Sem dúvida, ela me amava e, num peito como o seu, o amor reinava muito além de uma paixão. Mas somente por ocasião da sua morte é que senti toda a força de seu sentimento. Por longas horas, conservando minha mão entre as suas, abria-me ela um coração repleto de devoção, tão apaixonado que beirava a idolatria. Por que mereci a bênção de tais confissões? E por que mereci também a maldição de perder minha amada na hora que ela as pronunciou? Digo apenas que, no mais que feminil abandono de Ligeia ao amor, abandono em prol de quem não o merecia, eu, ao fim, reconheci o princípio da sua saudade, movida por um desejo tão ardentemente sedento, da vida que ora escapava com rapidez. É essa saudade tão intensa, essa veemente fome de vida, de vida apenas, que me sinto incapaz de reproduzir em palavras.

Na avançada noite em que partiu, ela me chamou imperiosamente a seu lado e pediu-me para recitar uns versos por ela compostos alguns dias antes. Obedeci. Os versos eram estes:

Vejam que noite de gala,
Depois de tantos anos desolados,
E esse coro angélico e com asas
Que oculta as suas lágrimas nos véus.
Sentai-vos no teatro para ver
Um drama de esperanças e temores
Enquanto a orquestra suspira
A música das esferas.
Os adores, tal como o deus que os criou,

Simulam as palavras, em silêncio,
E giram de um extremo a outro extremo
Como pobres bonecos que obedecem
Ao mandato dos seres invisíveis,
Os seres estranhos que os cenários mudam,
E que com asas de condor espalham
A desgraça invisível.
Oh, drama estranho que de ninguém
Poderá ser esquecido,
Com seu fantasma sempre perseguido
E inatingível para a multidão!
Há um círculo que gira, gira sempre,
Sempre em torno, na mesma direção,
E muito de loucura e de pecado,
Que são os fios trágicos da intriga.
Mas olhem: através dos adores,
Um ser rasteja e no recinto entra,
Vermelho e sangrando ele contorce-se
E lá do fundo do cenário avança...
Como estremece!
Com que mortais ânsias,
Os adores em sua goela se debatem!
E os serafins soluçam de tristeza.
Vendo que dos seus dentes
Escorre sangue humano.
Já se extinguem as luzes,
Já se apagaram todas,
E sobre a forma trágica e tremente
Desce como um sudário, o pano.
E eis que os anjos, soluçando pálidos,
Erguem-se e revelam
Que este drama é o Homem,
E o seu herói é o Verme.

– Ó Deus – quase gritou Ligeia, levantando-se e erguendo os braços para o céu, num movimento espasmódico, apenas eu terminei de recitar. – Ó Deus! Ó Pai Divino! Devem as coisas ser sempre e invariavelmente assim? Não poderá este vencedor ser jamais vencido? Não somos nós parte de vós? Quem conhece os mistérios da vontade e de seu poder? O homem não se entrega aos anjos, nem se submete à morte, senão pela fraqueza de sua débil vontade.

Então, como se exaurida pela emoção, ela deixou cair os braços alvos e voltou, com passos solenes, para o leito de morte. E, enquanto dava os últimos suspiros, um murmúrio surdo saiu-lhe dos lábios. Inclinei-me sobre eles e ouvi novamente as palavras finais do trecho de Glanvill: *"O homem não se entrega aos anjos, nem se submete à morte inteiramente, senão pela fraqueza de sua débil vontade."*

Ela morreu, e eu, oprimido pela tristeza, não pude suportar por mais tempo a desolação de minha morada na sombria e decadente cidade à margem do Reno. Não me faltava o que o mundo chama riquezas. Ligeia havia trazido mais, muito mais do que ordinariamente cabe à maioria dos mortais. Por isso, depois de alguns meses de uma triste vadiagem sem propósito, comprei uma abadia (cujo nome não direi) numa das mais ásperas e menos frequentadas regiões da bela Inglaterra, e reformei-a.

A sombria e lúgubre imponência do edifício, o aspecto quase selvagem da propriedade, as muitas, melancólicas e seculares lembranças a ambos ligadas, harmonizavam-se com o sentimento de fundo abandono que me havia levado àquela remota e solitária região do país. Apesar de a abadia, com seu parque destruído, tivesse passado por poucas alterações em seu exterior, levado por uma perversidade quase infantil e, talvez, pela frágil esperança de aliviar minhas mágoas, cuidei de adorná-la magnificamente por dentro.

Na infância, gostava dessas excentricidades. Agora, retomei o gosto como uma extravagância do pesar. Ah, sei quanto de loucura incipiente pode ser descoberta nas suntuosas e fantásticas tapeçarias, nas solenes esculturas do Egito, nas rudes molduras, nos móveis, nos extravagantes desenhos dos tapetes debruados de ouro. Passei a ser um escravo do ópio e meus trabalhos e planos tinham adquirido o colorido dos meus sonhos. Mas não devo ater-me na exposição dessas extravagâncias. Permitam-me falar tão somente sobre o quarto nupcial maldito em que, num momento de alienação mental, conduzi ao altar como noiva, e então sucessora da inesquecível Ligeia, lady Rowena Trevanion, de Tramaine, a de belos cabelos e olhos azuis.

Não há particularidade da arquitetura ou da decoração daquele quarto nupcial que eu não possa rever neste momento. Onde estava o coração daquela soberba família quando, por gula de ouro, permitiu à donzela e filha bem-amada transpor os umbrais de um apartamento tão extravagantemente adornado? Já disse que recordo, minúcia por minúcia, a arquitetura e a decoração do aposento. Todavia, esqueci tópicos de grande importância. Não havia na fantástica exibição qualquer sistema ou ordem capaz de fixar a memória.

O quarto situava-se numa pequena torre da abadia acastelada. Era de formato pentagonal e de amplas dimensões. Ocupando inteiramente a parede sul do pentágono, estava a única janela do quarto, imensa folha de vidro inteiriço de Veneza, colorido de uma tonalidade acinzentada, de modo tal que os raios do sol ou da lua, atravessando-o, incidiam com brilho fantasmagórico nos objetos. Na parte superior da enorme janela estendia-se uma velha videira, que subia pelas paredes maciças da torre. O forro de carvalho sombrio era muito alto, abobadado e trabalhado com os mais toscos e grotescos espécimes de um estilo meio gótico. Do meio do recesso central da abóbada melancólica pendia, sustentado por simples cadeia de ouro, um enorme incensório do mesmo metal e de desenho sarraceno, perfurado de tal maneira que dele se esgueiravam, como se animados da vitalidade das serpentes, fogos multicoloridos.

Algumas mobílias e candelabros dourados, de aspecto oriental, espalhavam-se pelo quarto. Havia ainda o leito, o leito nupcial, de modelo indiano baixo, esculpido em sólido ébano, encimado por um dossel semelhante a um manto grande. Em cada um dos quatro cantos do aposento aprumava-se um gigantesco sarcófago de granito negro, proveniente do Túmulo dos Reis, em Luxor, com sua antiga tampa repleta de esculturas imemoriais.

Ressalto que na tapeçaria do quarto estava o mais fantástico de tudo. As altas paredes, desproporcionais em sua altura gigantesca, eram cobertas de cima a baixo pelos vastos folhos de pesada e maciça tapeçaria, do mesmo material de que eram feitos os tapetes, a cobertura dos sofás e do leito de ébano, o dossel da cama e os suntuosos ornamentos das cortinas que velavam parcialmente a janela. O material, do mais rico tecido de ouro, era todo desenhado e colorido, a distâncias irregulares, com figuras arabescas de trinta centímetros de diâmetro, bordadas em padrões de um negro azeviche. Mas essas figuras participavam da verdadeira natureza dos arabescos somente quando contempladas de um único ângulo de visão. A quem entrasse no aposento, pareceriam simples monstruosidades, mas, a um avanço posterior, essa aparência esvaía-se gradualmente e, passo a passo, conforme o visitante se movimentava pelo quarto, via-se ele circundado por uma infindável sucessão de formas cadavéricas pertencentes à superstição dos normandos, ou surgidas na sonolência culposa dos monges. O efeito fantasmagórico era aumentado pela corrente de vento que, artificialmente introduzida no quarto, fazia oscilar as tapeçarias, conferindo uma odiosa e perturbadora animação ao conjunto.

Em aposentos assim, num quarto nupcial, passei eu, com lady de Tremaine, as horas profanas do nosso primeiro mês de casamento – passei-as tão somente com leve inquietação. Que minha esposa odiava as ferozes esquisitices do meu temperamento, que pouco me amava e que evitava minha companhia, essas eram coisas que eu não podia deixar de perceber. Contudo, davam-me mais prazer do que desgosto. Odiava-a com ódio demoníaco, desumano.

Minha memória voltava (oh, com que pesar intenso!) a Ligeia, a bem-amada, a augusta, a bela, a sepultada. Deleitava-me na lembrança de sua pureza, de seu saber, de sua natureza etérea e superior, de seu amor apaixonado e ardente. Meu

O Gato Preto

espírito queimava completa e livremente, com chamas ainda mais intensas do que as da paixão que Ligeia havia nutrido por mim.

Durante a agitação dos meus sonhos de ópio (porque eu vivia habitualmente atado aos grilhões da droga), dizia alto seu nome no silêncio da noite, ou então, durante o dia, no refúgio penumbroso dos vales. Era como se, pela ânsia desesperada, pela paixão solene, pelo ardor devorante da saudade, eu pudesse trazê-la de volta – ah, fosse para sempre – aos caminhos terrenos que ela havia deixado.

No início do segundo mês de casamento, lady Rowena foi tomada de súbita doença, de que se recuperou muito lentamente. A febre que a consumia tornava as suas noites inquietas. Na perturbação do seu estado de semissonolência, falava de sons e movimentos no quarto da torre, e eu tudo atribuía aos destemperos de sua fantasia ou, talvez, à influência fantasmagórica do quarto. Aos poucos entrou em convalescença e, por fim, restabeleceu-se. A melhora durou pouco tempo. Logo depois, um segundo e mais violento ataque prostrou-a num leito de sofrimentos. Devido a sua constituição frágil, não conseguiu mais se restabelecer.

A partir dessa época, a sua doença recorrente assumiu um caráter alarmante, desafiando todos os esforços e conhecimentos dos médicos. Com o agravamento do mal crônico que tinha aparentemente tomado conta de seu organismo, e de modo tão profundo que não poderia ser erradicado por meios humanos, presenciei um intenso aumento da irritabilidade e da tensão por causas triviais motivadas pelo medo. Ela voltava a falar, e agora com maior frequência e obstinação, dos sons e dos estranhos movimentos entre as tapeçarias, justamente tudo aquilo que já havia se queixado antes.

No fim de setembro, uma noite Rowena insistiu com ênfase inusitada nesse assunto aflitivo. Mal tinha despertado de uma sonolência inquieta, e percebi, com sentimentos de ansiedade e de terror, as contrações de sua fisionomia magra e abatida. Eu havia sentado ao lado de seu leito de ébano, sobre uma das otomanas da Índia. Ela ergueu-se um pouco e, num surdo e fervente murmúrio, falou dos sons que havia ouvido e que eu não podia ouvir, além dos movimentos que havia visto e que eu não podia perceber.

O vento soprava com força atrás das tapeçarias. Assim sendo, tentei convencê-la (coisa em que, confesso, eu mesmo não acreditava de todo) que aqueles respiros quase inarticulados e as sutis variações das figuras sobre a parede não eram senão efeitos naturais do costumeiro soprar do vento. Mas um pavor mortal, espalhando-se por sobre sua face, provou-me que meus esforços por acalmá-la foram em vão. Ela parecia na iminência de um desmaio, e não havia nenhum criado por perto e que me escutasse. Lembrei-me do lugar onde estava guardado um frasco de vinho leve que havia sido receitado pelos médicos. Então, corri para buscá-lo.

Acontece que, ao passar sob a luz do incensório, duas circunstâncias de natureza estarrecedora detiveram-me. Senti que um objeto palpável, embora invisível, tinha roçado por mim e vi, sobre o tapete dourado, bem no meio do intenso clarão lançado pelo incensório, uma sombra – uma indefinida e desmaiada sombra de aspecto angélico –, tal como a que se poderia imaginar fosse a sombra de uma sombra. Eu estava tão excitado devido a uma dose excessiva de ópio que dei pouca atenção a essas coisas e delas não falei a Rowena. Ao encontrar o vinho, atravessei novamente o quarto e enchi com ele uma taça, que levei aos lábios da mulher desmaiada. Ela já tinha parcialmente voltado a si, contudo, e segurou a taça, enquanto eu me sentava no sofá ao lado, os olhos fixos nela. Bem nessa hora, me dei conta de uma suave pegada no tapete, próxima ao divã, e, um segundo mais tarde, quando Rowena levava aos lábios o vinho, vi, ou sonhei ter visto, três ou quatro gotas grandes de um fluido brilhante e vermelho vivo caírem dentro da taça, como se pingassem de uma fonte invisível perdida na atmosfera do quarto. Vi tudo isso, mas Rowena não viu. Bebeu o vinho sem qualquer hesitação, e eu me abstive de contar a ela uma circunstância que, no final das contas, julgava eu tivesse sido tão somente sugestão de uma imaginação viva, morbidamente ativada pelo terror da mulher, pelo ópio e pela hora.

Contudo, não posso ocultar de mim mesmo que, logo após a queda das gotas vermelhas, o estado de minha esposa se agravou, e de tal maneira que, na terceira das noites subsequentes, as mãos de sua criada a prepararam para o túmulo, e, na quarta, sentei-me sozinho ao lado de seu corpo amortalhado, no quarto fantástico em que a havia recebido como noiva.

Visões atrozes, filhas do ópio, esvoaçavam diante de mim, e eu espiava, com olhos inquietos, os sarcófagos nos cantos do quarto, as figuras variáveis da tapeçaria e a dança das chamas coloridas no incensório sobre minha cabeça. Meu olhar então caiu, enquanto eu recordava as circunstâncias da noite anterior, sobre o lugar delimitado pelo clarão do incensório onde eu havia distinguido os apagados traços da sombra. Mas ela não estava mais lá. Respirando com alívio, voltei os olhos para a rígida e pálida figura sobre o leito. Nesse momento, assaltaram-me numerosas lembranças de Ligeia e inundou-me o coração de novo a insuportável angústia com que eu a vi assim amortalhada. A noite terminava, mesmo assim eu, com a alma cheia de amargas lembranças da única e suprema bem-amada, continuava fitando o corpo de Rowena.

Por volta da meia-noite – não me dei conta do tempo –, quando um soluço surdo, fraco, mas perfeitamente audível, despertou-me da divagação. Senti que tinha vindo do leito de ébano, o leito da morte. Agucei os ouvidos na agonia de um terror supersticioso, mas o som não se repetiu. Embora fraco, eu o escutei, e minha alma estava atenta dentro de mim. Determinado e perseverantemente, fixei a atenção no corpo. Muitos minutos se passaram antes de ocorrer qualquer circunstância capaz de lançar alguma luz sobre o mistério. Por fim, tornou-se evidente que um leve, um fraquíssimo colorido, dificilmente perceptível, havia tingido as

O Gato Preto

faces e as veias oprimidas das pálpebras de Rowena. Tomado de um sentimento invencível de pavor, indescritível em linguagem humana, senti meu coração parar de bater e meu corpo se enrijecer no sofá. Porém, o senso do dever acabou por devolver-me a mim mesmo.

De repente, descobri que Rowena ainda vivia. Era preciso fazer alguma coisa imediatamente. Entretanto, a torre estava distante da parte da casa habitada pelos criados (não havia nenhum ao alcance de minha voz), e eu não poderia chamá--los em meu auxílio sem deixar o quarto por vários minutos, coisa que não me arriscava a fazer. Por isso, lutei sozinho para trazer à vida o espírito oscilante. Mas logo se tornou evidente que houve uma recaída. Não havia mais cor nas pálpebras e nas faces, estavam marmóreas; os lábios ficaram enrugados e contraídos numa expressão cadavérica; uma frieza e viscosidade repulsivas tinham se generalizado rapidamente sobre a superfície do corpo; a rigidez de costume sucedera imediatamente. Com um arrepio, deixei-me cair sobre o sofá do qual tinha me levantado eletrizado fazia poucos instantes. De novo, entreguei-me, apaixonadamente, às visões de Ligeia.

Uma hora se passou, e (seria possível?) pela segunda vez ouvi um som nas proximidades do leito. Agucei os ouvidos, tomado de intenso horror. O som repetiu-se. Era um suspiro. Correndo para o cadáver, percebi distintamente um tremor em seus lábios. Um minuto mais tarde, eles se entreabriram, descobrindo uma alva linha de dentes opalinos. O espanto agora lutava em meu peito contra o pesar que nele, até então, havia imperado soberano. Senti que minha visão se obscurecia, que a razão me fugia. Foi somente depois de tremendo esforço que, por fim, consegui controlar-me, com o intuito de levar até o fim a tarefa que o dever, mais uma vez, me havia imposto.

Havia agora um brilho parcial na fronte, nas maçãs e na garganta. Um calor perceptível animava todo o corpo, bem como um leve bater, o coração. Rowena vivia e, com redobrado ardor, tratei de reanimá-la. Esfreguei e umedeci as suas têmporas e as mãos. Recorri a vários recursos, baseados em muitas leituras médicas, para salvá-la. Mas em vão. Subitamente a cor esvaeceu-se, a pulsação cessou, os lábios retomaram a expressão da morte e, um instante mais tarde, o corpo todo adquiriu a frieza gelada, a tonalidade lívida, a intensa rigidez e todas as demais repugnantes peculiaridades de quem, há muitos dias, habita o túmulo.

E de novo mergulhei nas visões de Ligeia – e de novo (será de admirar que eu estremeça enquanto escrevo?), de novo chegou aos meus ouvidos um leve soluço vindo do leito de ébano. Mas por que particularizar os indescritíveis horrores daquela noite? Por que insistir em relatar como, detalhadamente, até o cinzento amanhecer, esse drama odioso de revivificação? Foi repetido; como cada acesso se desenvolvia apenas para terminar em morte mais completa e irremediável; como cada agonia tinha o aspecto de uma luta contra algum invisível inimigo; e como cada agonia era seguida de uma não sei que desesperada mudança da aparência do cadáver? Permitam-me apressar a conclusão.

A maior parte da noite terrível havia se escoado, e aquela que tinha estado morta mais uma vez agitou-se – e dessa vez com mais vigor do que antes, embora emergindo de uma dissolução mais esmagadora, em seu fundo desespero, do que qualquer outra. Havia muito, eu havia desistido de lutar ou de mover-me e permanecia sentado rigidamente no sofá, desprotegida presa de um redemoinho de violentas emoções, das quais o extremo pavor era talvez a menor, a menos avassaladora.

O cadáver, repito, agitou-se, e dessa vez mais vigorosamente do que antes. As tintas da vida assomaram-lhe à face com energia extraordinária (os braços estavam relaxados) e, salvo pelas pálpebras, fortemente cerradas, e pelas ataduras e vestes mortuárias, que ainda emprestavam um caráter sepulcral à figura, eu poderia pensar que Rowena houvesse rompido desesperadamente as algemas da morte. E se essa ideia não foi, então, imediatamente aceita, não mais pude recusá-la quando, erguendo-se do leito, cambaleando com passos inseguros, olhos fechados e o jeito de alguém mergulhado num sonho, a coisa antes amortalhada avançou, corporal e palpavelmente, até o meio do aposento.

Embora eu não tenha tremido, não saí do lugar, uma vez que um bando de inefáveis fantasias relacionadas ao ar, à estatura e à conduta da figura, penetrando atropeladamente em meu cérebro, havia-me paralisado, havia-me convertido em pedra. Não saí do lugar, mas fiquei olhando, estupefato, a aparição. Havia uma desordem doida em meus pensamentos, um tumulto impossível de acalmar. Poderia ser Rowena, na verdade, essa que estava à minha frente? Poderia ser realmente Rowena – a loura lady Rowena Trevanion de Tremaine, a de olhos azuis? Por que, por que deveria eu ter dúvidas? A atadura amordaçava a sua boca – mas aquela não poderia ser, então, a boca da viva lady Tremaine? E as faces, onde havia rosas como no esplendor da vida – sim, não poderiam ser as belas faces de lady Tremaine, quando viva? E o queixo, com suas covinhas, como antes da doença, não poderia ser seu? Mas havia ela crescido desde sua doença? Que indescritível loucura se apoderou de mim a esse pensamento? Um pulo e alcancei-a. Tremendo ao meu toque, ela deixou cair de sua cabeça, desatadas, as faixas mortuárias que a prendiam, e eis que se espalhou na atmosfera agitada do quarto uma compacta massa de longos e revoltos cabelos: eram mais negros do que as asas de corvo da meia-noite! Assim, lentamente, fitando os olhos da figura postada diante de mim, exclamei em voz alta:

"Ei-los aqui, por fim – nunca poderei... nunca poderei enganar-me, jamais – estes são os profundos, e negros, e ardentes olhos... do meu amor perdido... de lady... de lady Ligeia."

O MISTÉRIO DE MARIE ROGÊT

The Mystery of Marie Roget, 1842

Existem poucas pessoas, mesmo entre os pensadores mais tranquilos, que não tenham sido alguma vez invadidas por uma vaga mas marcante crença parcial no sobrenatural, em face de certas coincidências de um caráter aparentemente tão maravilhoso que o espírito se sente incapaz de admiti-las como puras coincidências. Tais sentimentos são difíceis de ser reprimidos, a menos que se recorra à ciência da sorte ou, segundo a denominação técnica, ao cálculo das probabilidades. Ora, este cálculo é, na sua essência, apenas matemático, e temos assim a anomalia de a ciência mais rigorosamente exata aplicada à sombra e à espiritualidade do que há de mais impalpável no mundo da especulação.

Verão que os extraordinários detalhes que ora sou levado a tornar públicos formam, com respeito à sequência do tempo, o ramo principal de uma série de coincidências dificilmente inteligíveis, cujo ramo secundário ou concludente será reconhecido por todos os leitores no recente assassinato de Mary Cecilia Rogers, em Nova York.

Há cerca de um ano, quando, num artigo intitulado *Os Crimes da rua Morgue*, me dediquei a descrever alguns dos traços mais marcantes da personalidade do meu amigo C. Auguste Dupin, não me ocorreu a ideia de que teria algumas vezes de voltar ao mesmo assunto. A descrição dessa personalidade é meu objetivo, que foi cumprido na série de circunstâncias apresentadas para exemplificar a peculiaridade de Dupin. Eu podia ter citado outros exemplos, mas não teria provado nada além do que fiz. Eventos posteriores, entretanto, em seus inacreditáveis desdobramentos, motivaram-me a entrar em mais detalhes, que carregarão consigo um ar de confissão arrancada à força. Tendo ouvido o que ouvi recentemente, seria de fato estranho que eu permanecesse em silêncio com respeito ao que há tanto tempo vi e ouvi. Com o desfecho da tragédia implicada nas mortes de Madame L'Espanaye e sua filha, o Chevalier afastou o episódio imediatamente de sua atenção, e recaiu em seus antigos hábitos de temperamentais devaneios. Inclinado, a todo momento, à abstração, prontamente harmonizei-me com seu estado de espírito; e, continuando a ocupar nossas acomodações no Faubourg Saint Germain, abandonamos o futuro ao sabor dos ventos e repousamos tranquilamente no presente, tecendo em sonhos a trama insípida do mundo que nos cercava.

Mas esses sonhos não foram completamente ininterruptos. Pode-se presumir facilmente que o papel desempenhado por meu amigo no drama da rua Morgue causou espanto na imaginação da polícia parisiense. Entre seus agentes, o nome de Dupin tornou-se menção familiar. Dado o caráter simples daquelas deduções pelas quais elucidara o mistério nunca explicado sequer para o chefe de polícia, ou para qualquer outro indivíduo senão eu mesmo, sem dúvida não é de surpreender que o episódio fosse encarado como pouco menos do que miraculoso ou que as capacidades analíticas de Chevalier houvessem lhe granjeado o crédito da intuição. Sua franqueza o teria levado a desabusar quem quer que o inquirisse com tal opinião preconcebida; mas seu estado de espírito indolente impedia qualquer ulterior agitação a respeito de um assunto cujo interesse para ele próprio havia muito deixara de existir. Desse modo aconteceu de se ver como o centro de atenções aos olhos da polícia; e não foram poucos os casos em que se fizeram tentativas de empregar seus serviços na chefatura de polícia. Um dos mais notáveis foi o do assassinato de uma jovem chamada Marie Rogêt.

Esse fato ocorreu cerca de dois anos após a atrocidade na rua Morgue. Marie, cujo nome de batismo e de família irão imediatamente chamar a atenção por sua semelhança com os da infeliz "garota dos charutos", era filha única da viúva Estelle Rogêt. O pai morrera quando ela era criança e, da época de sua morte, até dezoito meses antes do assassinato que compõe o tema de nossa narrativa, mãe e filha moraram juntas na rua Pavée SaintAndrée. A senhora mantinha uma pensão, com ajuda de Marie.

As coisas continuaram desse modo até Marie ter completado vinte e dois anos, quando sua beleza atraiu a atenção de um perfumista, que ocupava uma das lojas térreas do Palais Royal, e cuja clientela se compunha sobretudo dos perigosos aventureiros que infestavam a vizinhança. Sr. Le Blanc não ignorava as vantagens advindas de ter a bela Marie atendendo em sua perfumaria; e seu pródigo oferecimento foi ansiosamente acolhido pela garota, embora com um pouco mais de hesitação por parte da mãe.

Os planos do lojista se realizaram, e os encantos da bela caixeira não tardaram em dar destaque aos seus salões. Ocupava o lugar havia cerca de um ano quando os seus admiradores foram lançados na desolação pelo repentino desaparecimento da jovem. O Sr. Le Blanc confessou-se incapaz de dar contas desta ausência, e a Sra. Rogêt ficou louca de inquietação e terror. Os jornais imediatamente foram dominados pelo assunto e a polícia se preparava para conduzir uma investigação a fundo quando, uma bela manhã, uma semana mais tarde, Marie, de perfeita saúde, mas com um ar ligeiramente entristecido, reapareceu, como de costume, atrás do balcão da perfumaria. Todas as investigações, exce-

to as que se revestiam de um caráter privado, foram imediatamente interrompidas. O Sr. Le Blanc continuava, como anteriormente, a nada saber. Marie e a mãe respondiam, a quem as interrogava, que tinham passado a última semana em casa de um parente, no campo. O caso caiu assim num esquecimento geral, pois a jovem, com o objetivo de subtrair-se à impertinência da curiosidade, abandonou de vez a perfumaria e foi refugiar-se em casa da mãe, na rua Pavée SaintAndrée.

Foi cerca de três anos após ter voltado para casa que seus amigos ficaram alarmados com seu súbito desaparecimento pela segunda vez. Três dias se passaram sem que se tivesse qualquer notícia dela. No quarto dia, seu cadáver foi encontrado flutuando no Sena, junto à margem oposta ao da rua Saint Andrée, e num ponto não muito distante dos isolados arredores da barreira du Roule.

A atrocidade desse assassinato (pois ficou imediatamente evidente que um assassinato fora cometido), a juventude e beleza da vítima e, acima de tudo, sua anterior notoriedade combinaram-se para gerar uma intensa agitação na mente dos impressionáveis parisienses.

Não me recordo de qualquer outra ocorrência similar que tenha produzido um efeito tão geral e intenso. Por várias semanas, na discussão desse assunto absorvente, até mesmo as importantes questões políticas foram deixadas de lado. O chefe de polícia empreendeu esforços fora do comum; e os recursos de toda a corporação parisiense foram, é claro, exigidos ao máximo.

Assim que se encontrou o cadáver, ninguém imaginava que o assassino seria capaz de fugir, por mais do que um período muito breve, à investigação que foi imediatamente posta em ação.

Apenas ao final de uma semana julgaram necessário oferecer uma recompensa; e mesmo então o prêmio se limitou a mil francos. Nesse meio-tempo, as buscas prosseguiram com vigor, ainda que nem sempre com bom-senso, e inúmeros indivíduos foram interrogados sem resultado. Devido à ausência total de quaisquer pistas para o mistério, a agitação popular só aumentou.

Ao final do décimo dia acharam aconselhável dobrar o valor da recompensa. Finalmente, após transcorrer uma segunda semana sem que se chegasse a nenhuma revelação, e tendo-se dado vazão à intolerância contra a polícia que sempre existiu em Paris mediante inúmeros graves tumultos, o chefe de polícia encarregou-se pessoalmente de oferecer a quantia de vinte mil francos *"pela denúncia do assassino"* ou, se mais de um se provasse envolvido, *"pela denúncia de qualquer um dos assassinos"*. No anúncio em que se ofertou a recompensa, pleno perdão era prometido a qualquer cúmplice que apresentasse alguma evidência contra seu parceiro; e a isso tudo ficava claro, onde quer que o anúncio aparecesse. Havia também um cartaz privado de uma comissão de cidadãos oferecendo dez mil francos, além da quantia proposta pela chefatura de polícia.

O Gato Preto

A recompensa toda assim chegava a não menos que trinta mil francos, o que há de se convir ser uma soma extraordinária quando consideramos a condição humilde da garota e a enorme frequência, nas cidades grandes, de tais atrocidades como a que se descreveu.

Ninguém duvidava agora que o mistério desse assassinato seria logo esclarecido. Mas, embora em uma ou duas oportunidades tenham sido feitas detenções com a promessa de elucidação, ainda assim nada veio à tona capaz de implicar os indivíduos suspeitos; e estes foram liberados.

Por estranho que possa parecer, a terceira semana da descoberta do corpo havia passado, sem que luz alguma fosse lançada sobre o assunto, antes de até mesmo um rumor dos eventos que tanto agitavam a opinião pública chegar aos ouvidos de Dupin e aos meus.

Debruçados em pesquisas que monopolizavam toda a nossa atenção, transcorrera quase um mês sem que nenhum de nós saísse de casa nem recebesse uma única visita, quando muito correndo os olhos pelos principais artigos políticos de um dos jornais diários. A primeira notícia do assassinato foi-nos trazida por G_ pessoalmente. Ele nos procurou no início da tarde do dia 13 de julho de 18__, e permaneceu conosco até tarde da noite. Estava indignado com o fracasso de todas suas tentativas em desentocar os assassinos. Sua reputação, conforme frisou com um ar peculiarmente parisiense, estava em jogo. Mesmo sua honra corria perigo. Os olhos do público estavam sobre ele; e decerto não havia sacrifício que não se dispunha a fazer por algum progresso na elucidação do mistério. Concluiu suas palavras até certo ponto risíveis com um elogio ao que tinha a satisfação de chamar de o tato de Dupin, e lhe fez um oferecimento direto e, certamente, pródigo cuja natureza precisa não me sinto à vontade para revelar, mas que não tem qualquer relevância para o assunto mesmo de minha narrativa.

O meu amigo rejeitou o cumprimento o melhor que pôde, mas aceitou imediatamente a oferta, ainda que as suas vantagens fossem absolutamente condicionais. Estabelecido este ponto, o chefe de polícia começou imediatamente numa explicação das suas próprias ideias, intercalando longos comentários sobre os depoimentos, a que não tínhamos acesso.

Ele falou longamente e, sem sombra de dúvida, com conhecimento de causa. Eu me aventurava a uma ou outra sugestão ocasional conforme a noite sonolentamente se estendia. Dupin, sentado ereto em sua poltrona costumeira, era a personificação da atenção respeitosa. Permaneceu de óculos durante toda a conversa; e um ocasional relance por baixo de suas lentes escuras bastou para me convencer de que dormiu, não menos pesadamente pois que em silêncio, durante todas as sete ou oito horas morosas imediatamente precedentes à partida do chefe de polícia.

Pela manhã, obtive, na chefatura, um relatório completo com todos os testemunhos colhidos e, nas redações dos diversos jornais, um exemplar de cada jornal em que, desde o início até o fim, fora publicada qualquer informação conclusiva sobre o triste episódio. Livre de tudo quanto estava positivamente refutado, a massa de informação era a seguinte:

Marie Rogêt deixou a residência de sua mãe, na rua Pavée Saint Andrée, por volta das nove horas da manhã de domingo, no dia 22 de junho de 18__ Ao sair, comunicou a um certo Sr. Jacques St Eustache, somente a ele e a mais ninguém, sua intenção de passar o dia com uma tia que residia na rua des Drômes. A rua des Drômes é uma via curta e estreita, mas movimentada, não muito longe das margens do rio, e a uma distância de uns três quilômetros, no curso mais direto possível, desde a pensão de Sra. Rogêt. StEustache era o pretendente de Marie, e se hospedava, bem como fazia suas refeições, na pensão. Fora sua intenção buscar a noiva ao escurecer, de modo a acompanhá-la na volta para casa. À tarde, porém, choveu pesadamente; e, supondo que ela passaria a noite na casa da tia (como fizera sob circunstâncias similares antes), não julgou necessário cumprir o combinado. Com o cair da noite, Sra. Rogêt (que era uma velha doente, de setenta anos de idade) manifestou o receio "de que nunca veria Marie outra vez"; mas o comentário chamou pouca atenção, naquele momento.

Na segunda-feira, verificou-se que a moça não estivera na rua des Drômes; e quando o dia passou sem que se tivesse notícia dela uma busca tardia foi instituída em diversos pontos da cidade e dos arredores. Entretanto, não foi senão no quarto dia após seu desaparecimento que alguma coisa satisfatória se verificou com respeito a ela. Nesse dia (quarta-feira, dia 25 de junho), um certo Sr. Beauvais, que, junto com um amigo, estivera indagando a respeito de Marie perto da barreira du Roule, na margem do Sena oposta à rua Pavée Saint André, foi informado de que um cadáver acabara de ser retirado da água por alguns pescadores, que o haviam encontrado flutuando no rio. Ao ver o corpo, Beauvais, após alguma hesitação, identificou-o como sendo da garota da perfumaria. Seu amigo reconheceu-o mais prontamente.

O rosto estava coberto de sangue escurecido, parte dele escorrido pela boca. Não se via espuma alguma, como é o caso dos meramente afogados. Não havia descoloração do tecido celular. Perto da garganta viam-se hematomas e marcas de dedos. Os braços estavam dobrados sobre o peito e rígidos. A mão direita estava fechada com firmeza; a esquerda, parcialmente aberta. No pulso esquerdo havia duas escoriações circulares, aparentemente causadas por cordas, ou uma corda dando mais de uma volta. Uma parte do pulso direito, também, estava bastante esfolada, bem como as costas em toda a sua extensão, mas, mais particularmente, nas omoplatas. Ao puxar o corpo para a margem, os pescadores o haviam amarrado a uma corda; mas nenhuma das escoriações fora provocada por isso. A carne do pescoço estava muito inchada. Não havia cortes visíveis, ou contusões que parecessem efeito de golpes. Acharam um pedaço de fita amarrado tão apertado em torno do pescoço que não podia ser visto. Estava completamente enterrado na carne, e preso por um nó logo abaixo da orelha esquerda. Só isso já teria sido suficiente para causar a morte. O laudo médico atestou com segurança a virtude da falecida. Ela fora submetida, dizia, a uma violência brutal. Nas condições em que o corpo foi encontrado não poderia haver qualquer dificuldade em seu reconhecimento pelos amigos.

A roupa estava muito rasgada e, no mais, desfeita. No exterior do vestido, uma faixa, com cerca de trinta centímetros de largura, fora rasgada da barra inferior até a cintura, mas não arrancada. Estava enrolada três vezes em torno da cintura e presa por uma espécie de nó às costas. A roupa, imediatamente sob o vestido, era de fina musselina; e dessa parte uma faixa de quarenta e cinco centímetros fora inteiramente arrancada muito uniformemente e com grande cuidado. Foi encontrada em torno do pescoço, enrolada de um modo frouxo, e presa com um nó cego. Sobre essa faixa de musselina e a faixa de renda estavam amarrados os cordões de chapéu ainda pendente. O nó pelo qual os cordões desse chapéu estavam amarrados não era tipicamente feminino, mas um nó corrediço de marinheiro.

Após o reconhecimento do corpo, ele não foi levado, como de costume, para a morgue, mas enterrado às pressas não muito longe do ponto onde fora resgatado das águas. Graças aos esforços de Beauvais, o assunto foi diligentemente abafado, o máximo possível; e vários dias se passaram antes que houvesse comoção pública. O semanário New York Mercury, entretanto, finalmente noticiou o caso. O cadáver foi exumado e procedeu-se a um novo exame; mas nada apareceu que já não houvesse sido antes observado. As roupas, entretanto, foram agora submetidas à mãe e aos amigos da vítima e identificadas seguramente como as que a moça usava ao sair de casa.

A euforia aumentava a todo momento. Diversos indivíduos foram detidos e liberados. Especiais suspeitas recaíram sobre StEustache, e ele foi incapaz, no começo, de fornecer um relato coerente de seu paradeiro no domingo em que Marie saiu de casa. Subsequentemente, entretanto, apresentou a Sr. G__ uma declaração juramentada prestando contas de cada hora passada no dia em questão.

Conforme o tempo passava sem que nenhum avanço fosse feito no caso, um milhão de rumores circulou e os jornalistas ocupavam-se de tecer insinuações. Entre elas, a que atraiu maior atenção foi a ideia de que Marie Rogêt ainda vivia – que o cadáver encontrado no Sena era o de alguma outra infeliz.

Será bom que eu apresente ao leitor alguns trechos que exemplificam a insinuação acima aludida. Esses trechos são traduções literais do L' Etoile, jornal dirigido, em geral, com grande competência.

"A senhorita Rogêt deixou a casa de sua mãe no domingo pela manhã, dia 22 de junho de 18__, com o propósito ostensivo de visitar a tia, ou algum outro parente, na rua des Drômes. Desse momento em diante, ninguém mais a viu, comprovadamente. Não há absolutamente qualquer rastro ou notícia dela. [...] Ninguém, seja quem for, se apresentou, até o presente instante, dando conta de tê-la visto nesse dia, depois que passou pela porta da casa de sua mãe. [...] Ora, ainda que não tenhamos qualquer evidência de que Marie Rogêt estivesse no mundo dos vivos após as nove horas do domingo, dia 22 de junho, temos prova de que, até essa hora, continuava com vida. Ao meio-dia da quarta-feira o corpo de uma mulher foi encontrado flutuando à beira d'água na barreira du Roule. Isso foi, mesmo presumindo-se que Marie Rogêt tenha sido atirada ao rio até três horas após ter deixado a casa de sua mãe, apenas três dias a contar do momento em que saiu de casa. Três dias, uma hora a mais, uma hora a menos. Mas é tolice supor que o assassinato, se um assassinato foi cometido contra seu corpo, poderia ter se consumado cedo o bastante para que os assassinos houvessem jogado o corpo no rio antes da meia-noite. Os culpados de tais crimes horrendos preferem a escuridão à luz. [...] Assim entendemos que se o corpo encontrado no rio era de fato o de Marie Rogêt ele só poderia ter ficado na água dois dias e meio, ou três, no máximo. A experiência nesses casos mostra que corpos afogados, ou corpos jogados na água imediatamente após a morte violenta, exigem de seis a dez dias de suficiente decomposição até voltarem à superfície.

Por fim, é excessivamente improvável que os malfeitores, depois de terem cometido um crime tal como o que se lhes atribui, lançassem o corpo à água sem um peso para o lastrar, quando seria tão fácil tomar essa precaução."

"Mesmo se um canhão houver sido disparado no ponto onde está um cadáver, e ele subir antes de pelo menos cinco ou seis dias de imersão, voltará a afundar se deixado à própria sorte. Ora, perguntamo-nos, o que aconteceu nesse caso para provocar um desvio do curso normal da natureza? [...] Se o corpo tivesse sido mantido na margem em seu estado desfigurado até terça-feira à noite, algum vestígio dos assassinos teria sido encontrado na margem. É uma questão duvidosa, ainda, se o corpo teria vindo à tona tão cedo, mesmo tendo sido lançado na água dois dias após a morte. E, além do mais, é sumamente improvável que algum vilão que houvesse cometido tal crime como o que se supõe aqui teria jogado o corpo sem lhe atar algum peso para afundá-lo, quando tal precaução poderia facilmente ter sido tomada."

O editor então prossegue argumentando que o corpo devia ter ficado na água "não meramente três dias, mas, pelo menos, cinco vezes três dias", pois estava tão decomposto que Beauvais teve grande dificuldade em reconhecê-lo. Esse último ponto, entretanto, foi plenamente refutado. Continuo a citação: *"Quais são então os fatos em que Sr. Beauvais se apoia para afirmar sem dúvida que o corpo era de Marie Rogêt? Ele rasgou a manga do vestido e diz ter encontrado marcas que o satisfizeram acerca da identidade. O público em geral supôs que tais marcas consistiam de cicatrizes de algum tipo. Ele esfregou o braço e encontrou cabelos nele – algo tão impreciso, achamos, quanto se pode prontamente imaginar – tão pouco conclusivo quanto encontrar um braço dentro da manga. Sr. Beauvais não voltou nessa noite, mas mandou informar a Sra Rogêt, às sete horas da noite de quarta-feira, que uma investigação com relação a sua filha continuava em curso. Se admitimos que Sra. Rogêt, devido à idade e ao luto, não podia ter ido até lá (o que é admitir muita coisa), decerto deve ter havido alguém para achar que valia a pena comparecer a fim de auxiliar na investigação, se achavam que o corpo era de Marie. Ninguém apareceu. Nada foi dito ou ouvido sobre o assunto na Rua Pavée Saint Andrée que chegasse sequer aos ocupantes do mesmo prédio. Sr, St Eustache, o noivo e futuro esposo de Marie, que era inquilino na pensão de sua mãe, disse em seu depoimento que não soube da descoberta do corpo de sua noiva senão na manhã seguinte, quando Sr. Beauvais entrou em seu quarto e lhe comunicou a respeito. Para uma notícia como essa, parece-nos que foi muito friamente recebida."*

O jornal tentava criar uma impressão de apatia por parte das pessoas ligadas a Marie, inconsistente com a suposição de que essas pessoas acreditassem que o cadáver fosse dela. Chegava a ponto de insinuar que Marie, com a conivência de seus amigos, ausentara-se da cidade por motivos ligados a uma acusação contra sua castidade; e que esses amigos, quando da descoberta de um cadáver no Sena, em certa medida parecido com o da moça, haviam se aproveitado da oportunidade para inculcar no público a crença em sua morte. Mas o L'Etoile foi novamente apressado demais. Ficou nitidamente demonstrado que nenhuma apatia, tal como se imaginara, existia; que a velha senhora estava extraordinariamente fraca, tão agitada a ponto de ser incapaz de cumprir qualquer obrigação; que St Eustache, longe de receber a notícia com frieza, ficou enlouquecido de pesar, e portou-se de modo tão descontrolado que M. Beauvais persuadiu um amigo e parente a se encarregar dele, e impediu que presenciasse o exame na exumação. Além do mais, embora fosse afirmado pelo L'Etoile que o cadáver voltou a ser enterrado às expensas públicas – que um vantajoso oferecimento de sepultura particular foi absolutamente declinado pela família – e que nenhum membro da família compareceu ao cerimonial: – embora, repito, tudo isso tenha sido asseverado pelo L'Etoile, enfatizando ainda mais a impressão que o jornal objetivava transmitir – contudo, tudo isso foi satisfatoriamente refutado. Em um número subsequente, uma tentativa foi feita de lançar suspeita sobre o próprio Beauvais. O editor diz:

"Agora surge uma novidade na questão. Fomos informados de que, em certa ocasião, enquanto uma tal de Sra. B__ encontrava-se na casa de Sra. Rogêt, Sr. Beauvais, que estava de saída, disse-lhe que um policial era aguardado ali, e que ela, Sra. B., não devia dizer coisa alguma ao policial até seu regresso, mas que deixasse o assunto com ele. [...] Na presente situação das coisas, Sr. Beauvais parece ter a questão toda engatilhada na cabeça. Nem um único passo pode ser dado sem Sr. Beauvais; pois, independentemente do caminho escolhido, é impossível não esbarrar nele. [...] Por algum motivo, determinou que ninguém deveria ter qualquer envolvimento com os procedimentos a não ser ele mesmo, e tirou do caminho os homens da família, segundo se queixaram, de uma maneira assaz singular. Ao que parece, tem se mostrado muito avesso a permitir que os parentes vejam o corpo."

Alguma plausibilidade foi dada à suspeita desse modo lançada sobre Beauvais. Um visitante de seu escritório, poucos dias antes do desaparecimento da moça, e na ausência de seu ocupante, observara uma rosa no buraco da fechadura da porta e o nome "Marie" escrito em uma lousa pendurada bem à mão.

A impressão geral, até onde fomos capazes de extrair dos jornais, parecia ser de que Marie fora vítima de uma gangue de delinquentes, que haviam sido eles que a levaram para o outro lado do rio, maltrataram-na e a assassinaram. O *Le Commercial*, periódico de extensa influência, combateu severamente essa ideia popular. Cito uma passagem ou duas de suas colunas:

"Estamos convencidos de que a perseguição até agora vem seguindo um rastro falso, na medida em que tem sido dirigida para a barreira du Roule. É impossível que uma pessoa tão bem conhecida por milhares, como era essa jovem, tenha transposto três quadras sem que ninguém a tenha visto; e qualquer um que a tivesse visto teria se lembrado do fato, pois ela despertava interesse em todos que a conheciam. Aconteceu no momento em que as ruas estavam cheias de gente, quando ela saiu. [...] É impossível que tenha ido à barreira du Roule, ou à rua des Drômes, sem ser reconhecida por uma dúzia de pessoas; e contudo não apareceu ninguém que a tenha visto após ter passado pela porta da casa de sua mãe, e não há evidência, exceto o testemunho relativo a suas intenções expressas, de que sequer tenha saído. Seu vestido estava rasgado, enrolado em torno de seu corpo e amarrado; e, a julgar por isso, foi carregada como um fardo. Se o assassinato houvesse sido cometido na barreira du Roule, não teria havido necessidade de tal arranjo. O fato de que o corpo foi encontrado flutuando perto da barreira não constitui prova acerca do lugar onde foi atirado à água. [...] Um pedaço de uma das anáguas da infeliz garota, com sessenta centímetros de comprimento e trinta de largura, foi arranca-

do e amarrado sob seu queixo e em torno da nuca, provavelmente para impedir que gritasse. Isso foi feito por sujeitos que não carregam lenços de bolso."

Um dia ou dois antes de o chefe de polícia nos procurar, porém, chegou à polícia alguma informação importante que pareceu lançar por terra pelo menos a maior parte da argumentação do *Le Commercial*. Dois meninos, filhos de uma certa Sra. Deluc, enquanto perambulavam pelos bosques nos arredores da barreira du Roule, penetraram por acaso em uma espessa moita, no interior da qual havia três ou quatro pedras grandes, formando uma espécie de banco, com encosto e descanso para os pés. Na pedra de cima estava uma anágua branca; na segunda, uma echarpe de seda. Uma sombrinha, luvas e um lenço de bolso também foram encontrados. O lenço exibia o nome "Marie Rogêt". Fragmentos de vestido foram encontrados nos arbustos em torno. A terra estava pisoteada e havia galhos quebrados e sinais de luta. Entre a moita e o rio, descobriu-se que as tábuas da cerca haviam sido derrubadas e o solo mostrava evidência de que algum pesado fardo fora arrastado.

Um semanário, Le Soleil publicou os seguintes comentários sobre essa descoberta, comentários que meramente ecoavam o sentimento de toda a imprensa parisiense:

"Os objetos evidentemente ficaram ali pelo menos por três ou quatro semanas; estavam todos fortemente embolorados pela ação da chuva, e colados com o bolor. A relva crescera em volta e cobrira alguns deles. A seda da sombrinha era resistente, mas as fibras haviam grudado por dentro. A parte de cima, onde ela fora fechada e enrolada, estava toda embolorada e podre, e rasgou quando aberta. [...] Os pedaços de seu vestido arrancados pelos arbustos tinham cerca de oito centímetros de largura e quinze de comprimento. Uma parte era a bainha do vestido, que fora remendada; a outra peça era parte da saia, não a bainha. Pareciam tiras arrancadas e estavam no arbusto espinhento, a cerca de trinta centímetros do chão. [...] Não pode haver dúvida, portanto, que o lugar dessa macabra barbaridade foi encontrado."

Como consequência dessa descoberta, novas evidências surgiram. Em seu depoimento, Sra. Deluc informou que mantém uma hospedaria não muito longe da margem do rio, do outro lado da barreira du Roule. A área é afastada, muito afastada. É o usual ponto de encontro aos domingos dos meliantes da cidade, que atravessam o rio em botes. Às três horas, aproximadamente, na tarde do domingo em questão, uma jovem chegou à hospedaria, acompanhada de um rapaz de tez escura. Os dois permaneceram ali por algum tempo. Ao saírem, tomaram a trilha de um espesso bosque dos arredores. Chamou a atenção de Sra. Deluc o vestido usado pela moça, devido a sua semelhança com o de uma parente sua, falecida. A echarpe foi particularmente notada. Pouco depois da partida do casal, uma gangue de malfeitores chegou, comportaram-se ruidosamente, comeram e beberam sem pagar, seguiram o caminho tomado pelo jovem e pela moça, voltaram à hospedaria ao entardecer e tornaram a cruzar o rio, aparentando grande pressa.

Pouco depois de escurecer, nessa mesma tarde, Sra. Deluc, assim como seu filho mais velho, escutou gritos de mulher nos arredores da hospedaria. Os gritos foram violentos, mas breves. Sra. D. reconheceu não só a echarpe encontrada na moita como também o vestido que acompanhava o cadáver. Um motorista de ônibus, Valence, agora também testemunhava ter visto Marie Rogêt atravessar o Sena em uma balsa, no domingo em questão, na companhia de um jovem de tez escura. Ele, Valence, conhecia Marie, e era impossível que houvesse se equivocado em relação a sua identidade. Os objetos encontrados na moita foram positivamente identificados pelos parentes de Marie.

As informações que eu reuni com base nos jornais, por sugestão de Dupin, compreendiam apenas mais um ponto, só que este ponto, ao que tudo indicava, de amplas consequências. Parece que, imediatamente após a descoberta das roupas tal como se descreveu acima, o corpo sem vida, ou quase sem vida, de St Eustache, noivo de Marie, foi encontrado nos arredores da suposta cena do crime. Um frasco rotulado "láudano", vazio, estava ao seu lado. O hálito dava evidência do veneno. Morreu sem dizer uma palavra. Junto ao corpo foi encontrada uma carta, afirmando brevemente seu amor por Marie, e a intenção de suicídio.

– Dificilmente tenho necessidade de lhe dizer –, afirmou Dupin, quando terminava de examinar minhas anotações – que esse caso é de longe muito mais intricado que o da rua Morgue; do qual difere num importante aspecto. Trata-se de um exemplo de crime comum, por mais atroz que seja. Não há nada de peculiar em sua natureza. Deve observar que, por esse motivo, o mistério tem sido considerado de fácil solução, quando, por esse motivo, é que deveria ser considerado difícil. Assim, no início, julgou-se desnecessário oferecer uma recompensa. Os beleguins de G__ foram capazes de compreender na mesma hora como e por que tal atrocidade poderia ter sido cometida. Conseguiam conceber em sua imaginação um modo. Muitos modos e um motivo, muitos motivos. E como não era impossível que nenhum desses numerosos modos e motivos pudesse ter sido o verdadeiro, chegaram à conclusão de que um deles devia ser. Mas a naturalidade com que foram acalentadas essas diversas fantasias e a própria viabilidade que assumiu cada uma deve ser compreendida como um indicativo antes das dificuldades do que das facilidades que devem acompanhar a elucidação. Já tive oportunidade de observar que é alçando-se acima do plano do ordinário que a razão tateia seu caminho, se é que o faz, na busca da verdade, e que a pergunta apropriada em casos como esse não é tanto 'o que aconteceu?' como 'o que aconteceu que nunca aconteceu antes?'. Nas

O Gato Preto

investigações na residência de Sra. L'Espanaye, os homens de G__ ficaram desencorajados e confusos com a própria estranheza que, para um intelecto devidamente regulado, teria proporcionado o mais seguro prognóstico de sucesso; ao passo que esse mesmo intelecto poderia ter mergulhado no desespero com o caráter ordinário de tudo que se apresentava à observação no caso da moça da perfumaria, e contudo nada comunicava senão o fácil triunfo aos funcionários da chefatura de polícia.

– No caso de Sra. L'Espanaye e sua filha, não havia, mesmo no início de nossa investigação, nenhuma dúvida de que um assassinato fora cometido. A ideia de suicídio foi excluída imediatamente. Aqui, também, estamos desobrigados, desde o começo, de fazer qualquer suposição sobre a ocorrência de suicídio. O corpo na Barreira Roule foi encontrado em circunstâncias tais que não oferece margem alguma para dificuldade nesse importante ponto. Mas sugeriu-se que o corpo encontrado não é de Marie Rogêt, pela denúncia de cujo assassino, ou assassinos, a recompensa é oferecida, e respeitando ao qual, exclusivamente, nosso acordo foi firmado com o chefe de polícia. Ambos conhecemos muito bem esse senhor. Não convém confiar demais nele. Se, datando nossas investigações da descoberta do corpo, e a partir daí rastreando um assassino, no entanto descobrimos ser esse corpo de alguma outra pessoa que não Marie; ou, se começando por Marie com vida, chegamos até ela, e contudo descobrimos que não foi assassinada – tanto num caso como no outro terá sido um trabalho perdido; pois que é com Sr. G__ que estamos lidando. Logo, em nosso próprio proveito, se não em proveito da justiça, é indispensável que nosso primeiro passo seja a determinação da identidade do cadáver como sendo o da desaparecida Marie Rogêt.

E Dupin prossegui com sua tese:

– Para o público, os argumentos do L'Etoile têm sido de peso; e que o próprio jornal está convencido da importância deles pode-se inferir pelo modo como inicia um de seus ensaios a respeito do assunto – 'Diversos matutinos de hoje', afirma, 'falam a respeito do artigo conclusivo saído no Etoile de segunda'. Para mim, esse artigo parece conclusivo sobre pouca coisa além do fervor de seu autor. Devemos ter em mente que, de modo geral, o objetivo de nossos jornais é antes criar uma sensação – vender seu peixe – que promover a causa da verdade. Este último fim só é perseguido quando parece coincidir com o primeiro. O periódico que simplesmente se adapta à opinião normal (por mais bem fundamentada que essa opinião possa ser) não conquista para si crédito algum junto ao populacho. A massa do povo vê como profunda apenas a opinião que sugere pungentes contradições com a ideia geral. Na arte do raciocínio, não menos do que na literatura, é o epigrama que é mais imediata e universalmente apreciado. Em ambas, é da mais baixa ordem de mérito.

E ele continuou:

– O que quero dizer é que foi o misto de epigrama e melodrama na ideia de que Marie Rogêt ainda vive, mais do que qualquer plausibilidade dessa ideia, que sugeriu isso ao L'Etoile e assegurou-lhe uma recepção favorável entre o público. Examinemos os principais pontos do argumento do jornal; empenhando-nos em evitar a incoerência com que é apresentado desde o início.

– O primeiro objetivo do jornalista é mostrar, pela brevidade do intervalo entre o desaparecimento de Marie e a revelação do corpo boiando, que o corpo não pode ser o de Marie. A redução desse intervalo à sua menor dimensão possível se torna assim, na mesma hora, um objetivo para o autor do artigo. Na apressada busca desse objetivo, ele se precipita na mera suposição desde o início. 'É tolice supor', diz ele, 'que o assassinato, se um assassinato foi cometido contra seu corpo, poderia ter sido consumado cedo o bastante para permitir que os assassinos jogassem o corpo no rio antes da meia-noite.' A pergunta que nos ocorre de imediato, muito naturalmente, é por quê? Por que é tolice supor que o crime foi cometido cinco minutos após a jovem ter deixado a casa de sua mãe? Por que é tolice supor que o assassinato foi cometido em um dado período do dia? Assassinatos ocorrem a qualquer hora. Porém, caso o crime houvesse ocorrido em algum momento entre as nove da manhã de domingo e quinze para a meia-noite, ainda assim teria havido tempo suficiente para ter 'jogado o corpo no rio antes da meia-noite'. Essa suposição, assim, resume-se precisamente a isso – que o assassinato não foi cometido no domingo, absolutamente – e, se permitirmos ao L'Etoile supor tal coisa, possivelmente estaremos lhes permitindo liberdades em tudo mais. O parágrafo que começa com 'É tolice supor que o assassinato etc.', embora apareça impresso no L'Etoile, pode ser imaginado como tendo existido assim no cérebro de seu autor – 'É tolice supor que o assassinato, se um assassinato foi cometido contra seu corpo, poderia ter sido cometido cedo o bastante para ter possibilitado a seus assassinos jogar o corpo no rio antes da meia-noite; é tolice, repetimos, supor tudo isso, e supor ao mesmo tempo (já que estamos determinados a supor) que o corpo não foi jogado senão após a meia-noite' – uma frase bastante inconsequente em si mesma, mas não tão completamente absurda quanto a que vimos impressa. – analisou Dupin.

– Caso fosse meu propósito – continuou Dupin – meramente provar a fragilidade do argumento nesse trecho do L'Etoile, eu poderia seguramente parar por aqui. Não é, entretanto, com o L'Etoile que temos de lidar, mas com a verdade. A frase em questão, do modo como está, significa apenas uma coisa; e esse significado eu já determinei razoavelmente: mas é de suma importância irmos além das meras palavras, em busca de uma ideia que essas palavras obviamente pretendiam transmitir, e falharam. A intenção do jornalista era

O Gato Preto

dizer que, independentemente do período do dia ou da noite do domingo em que esse crime foi cometido, era improvável que os assassinos teriam se aventurado a carregar o corpo para o rio antes da meia-noite. E nisso reside, na verdade, a suposição de que me queixo. Ficou presumido que o assassinato foi cometido em tal lugar, e sob tais circunstâncias, que carregar o corpo para o rio fez-se necessário. Ora, o assassinato pode ter ocorrido às margens do rio, ou no próprio rio; e, desse modo, jogar o cadáver na água pode ter constituído, a qualquer hora do dia ou da noite, o recurso mais óbvio e imediato de que lançar mão para se livrar dele. Você deve compreender que não estou sugerindo aqui algo como sendo provável ou coincidente com minha própria opinião. Minha intenção, até agora, não guarda qualquer referência com os fatos do caso. Desejo meramente precavê-lo contra todo o tom sugerido no L'Etoile, chamando sua atenção para a natureza parcial do jornal desde o princípio.

– Tendo prescrevido assim um limite para acomodar suas próprias noções preconcebidas; tendo presumido que, se aquele era o corpo de Marie, não podia ter permanecido na água senão por um período muito breve; o jornal prossegue afirmando:

"*A experiência nesses casos mostra que corpos afogados, ou corpos jogados na água imediatamente após a morte violenta, exigem de seis a dez dias de suficiente decomposição até voltarem à superfície. Mesmo se um canhão houver sido disparado no ponto onde está um cadáver, e ele subir antes de pelo menos cinco ou seis dias de imersão, voltará a afundar se deixado à própria sorte.*"

– Essas alegações foram tacitamente admitidas por todos os jornais de Paris, com exceção do Le Moniteur. Este último se empenha em combater apenas o trecho do parágrafo que faz referência a 'corpos afogados', citando cerca de cinco ou seis casos em que os corpos de indivíduos sabidamente afogados foram encontrados flutuando após um intervalo de tempo menor do que o defendido pelo L'Etoile.

Mas há qualquer coisa de excessivamente antifilosófica na tentativa por parte do Le Moniteur de refutar a asserção geral do L'Etoile mencionando casos particulares que militem contra tal asserção. Tivesse sido possível aduzir cinquenta em vez de cinco exemplos de corpos encontrados flutuando ao cabo de dois ou três dias, esses cinquenta exemplos ainda assim poderiam ser encarados propriamente apenas como exceções à regra do L'Etoile, até a chegada desse momento em que a própria regra devesse ser refutada. Admitindo-se a regra (e isso o Le Moniteur não nega, insistindo meramente em suas exceções), o argumento do L'Etoile pode permanecer com plena força; pois esse argumento não pretende envolver mais do que uma questão da probabilidade de o corpo ter ascendido à superfície em menos de três dias; e essa probabilidade continuará a favor da posição do L'Etoile até que esses casos aduzidos de modo tão pueril sejam em número suficiente para determinar uma regra antagônica.

– Você vai ver na mesma hora que todo argumento quanto a esse ponto deve ser dirigido, se o for, contra a própria regra; e com esse fim devemos examinar a racionalidade da regra. Ora, o corpo humano, de modo geral, não é muito mais leve nem tampouco muito mais pesado do que a água do Sena; ou seja, a gravidade específica do corpo humano, em sua condição natural, é mais ou menos igual ao volume de água doce que ele desloca. Os corpos de pessoas gordas e flácidas, com ossos pequenos, e os das mulheres em geral, são mais leves do que os de pessoas magras e de ossos grandes, e do que os dos homens; e a gravidade específica da água de um rio é em certa medida influenciada pela presença da maré vinda do mar. Mas deixando a maré fora da discussão, pode-se dizer que pouquíssimos corpos humanos afundarão, mesmo na água doce, por si só. Praticamente qualquer um, caindo em um rio, será capaz de flutuar se suportar que a gravidade específica da água seja razoavelmente aduzida em comparação com a sua própria – ou seja, se suportar que toda a sua pessoa fique submersa com a mínima exceção possível. A posição apropriada para alguém que não sabe nadar é a postura ereta de quem caminha em terra, com a cabeça jogada inteiramente para trás, e imersa; somente a boca e as narinas permanecendo acima da superfície. Nessas circunstâncias, perceberemos que flutuamos sem dificuldade e sem esforço. Fica evidente, entretanto, que as gravidades do corpo e do volume de água deslocada são muito delicadamente equilibradas e que a coisa mais ínfima levará uma das duas a preponderar. Um braço, por exemplo, erguido da água, e desse modo privado de seu apoio, é um peso adicional suficiente para submergir a cabeça toda, enquanto uma ajuda acidental do menor pedaço de madeira nos possibilita elevar a cabeça o suficiente para olhar em torno. Bem, quando alguém desacostumado a nadar se debate na água, os braços são invariavelmente projetados para cima, conforme é feita uma tentativa de manter a cabeça em sua posição perpendicular usual. O resultado é a imersão da boca e das narinas, e a introdução, durante os esforços de respirar enquanto se está sob a superfície, de água nos pulmões. Grande parte vai parar também no estômago, e o corpo todo fica mais pesado com a diferença entre o peso do ar originalmente distendendo essas cavidades e o do fluido que agora as preenche. Essa diferença, via de regra, é suficiente para fazer o corpo afundar; mas é insuficiente nos casos de indivíduos com ossos pequenos e uma quantidade anormal de matéria flácida ou gorda. Tais indivíduos flutuam mesmo depois de afogados.

E Dupin prosseguiu:

O Gato Preto

– O cadáver, supondo-se que esteja no fundo do rio, permanecerá ali até que, de algum modo, sua gravidade específica mais uma vez se torne menor do que a do volume de água que ele desloca. Esse efeito é ocasionado pela decomposição ou por algum outro meio. O resultado da decomposição é a geração de gás, dilatando os tecidos celulares e todas as cavidades, e proporcionando o aspecto inchado que é tão horrível. Quando essa dilatação progride a um ponto em que o volume do corpo está materialmente aumentado sem que haja um aumento correspondente de massa ou peso, sua gravidade específica se torna menor do que a da água deslocada, e o corpo desse modo surge à superfície. Mas a decomposição é modificada por inúmeras circunstâncias – é acelerada ou retardada por inúmeros agentes; por exemplo, pelo calor ou frio da estação, pela impregnação mineral ou pela pureza da água, por sua maior ou menor profundidade, por ser corrente ou estagnada, pela temperatura do corpo, por alguma infecção ou pela ausência de doença antes da morte. Assim, é evidente que não temos como indicar um período, em que o cadáver deverá subir pela decomposição. Sob determinadas condições, esse resultado ocorreria em uma hora; sob outras, poderia nem ocorrer. Há infusões químicas mediante as quais a constituição animal pode ficar preservada para sempre da corrupção; o dicloreto de mercúrio é uma delas. Mas, à parte a decomposição, pode haver, e normalmente há, uma geração de gás dentro do estômago, devido à fermentação acetosa de matéria vegetal (ou dentro de outras cavidades por outros motivos) suficiente para induzir uma dilatação que levará o corpo à superfície. O efeito produzido pelo disparo de um canhão é o de simples vibração. Isso pode soltar o corpo da lama macia ou do lodo no qual ele está atolado, permitindo assim que flutue quando outros agentes já o prepararam para fazê-lo; ou pode superar a tenacidade de algumas partes apodrecidas do tecido celular; permitindo que as cavidades dilatem sob a influência do gás.

– Tendo assim diante de nós toda a filosofia do assunto, podemos facilmente testar por meio dela as afirmações do L'Etoile. 'A experiência nesses casos', diz o jornal, 'mostra que corpos afogados, ou corpos jogados na água imediatamente após a morte violenta, exigem de seis a dez dias de suficiente decomposição até voltarem à superfície. Mesmo se um canhão houver sido disparado no ponto onde está um cadáver, e ele subir antes de pelo menos cinco ou seis dias de imersão, voltará a afundar se deixado à própria sorte.

– Esse parágrafo agora deve parecer em sua totalidade um emaranhado de inconsequência e incoerência. A experiência não mostra que 'corpos afogados' exigem de seis a dez dias para que suficiente decomposição tenha lugar de modo a alçá-los à superfície. Tanto a ciência como a experiência mostram que o período para subir é, e deve necessariamente ser, indeterminado.

Se, além do mais, um corpo subiu à tona pelo disparo de um canhão, ele não 'voltará a afundar se deixado à própria sorte' até que a decomposição tenha progredido de tal modo a permitir o escape do gás gerado. Mas desejo chamar sua atenção para a distinção que é feita entre 'corpos afogados' e 'corpos jogados na água imediatamente após a morte violenta'. Embora o jornalista admita a distinção, ele mesmo assim inclui todos numa mesma categoria. Mostrei como acontece de o corpo de um homem afogado se tornar especificamente mais pesado do que o volume de água deslocado, e que ele não afundaria absolutamente, exceto pelas debatidas com que eleva os braços acima da superfície, e as tentativas de respirar quando está sob a superfície – tentativas que introduzem água no lugar do ar original, nos pulmões. Mas essa luta e essas tentativas não ocorreriam no corpo 'jogado na água imediatamente após a morte violenta'. Assim, nesse último exemplo, o corpo, via de regra, não afundaria absolutamente – fato que o L'Etoile evidentemente ignora. Quando a decomposição progrediu a um estado muito avançado – quando a carne em grande medida separou-se dos ossos – então, de fato, mas apenas então, deixaremos de ver o cadáver. – concluiu meu amigo, que continuou:

– E agora o que pensar do argumento de que o corpo encontrado não podia ser o de Marie Rogêt porque, três dias apenas tendo transcorrido, esse corpo foi encontrado flutuando? Se afogada, sendo mulher, pode acontecer de nunca ter afundado; ou, tendo afundado, pode ter reaparecido em vinte e quatro horas, ou menos. Mas ninguém supõe que tenha se afogado; e, morrendo antes de ter sido jogada no rio, pode ter sido encontrada boiando em qualquer outro período posterior.

– Mas, diz o L'Etoile, 'se o corpo tivesse sido mantido na margem em seu estado desfigurado até terça-feira à noite, algum vestígio dos assassinos teria sido encontrado na margem'. Aqui inicialmente é difícil perceber a intenção do jornal. Ele procura antecipar o que imagina ser uma possível objeção a sua teoria – a saber: de que o corpo foi mantido na margem por dois dias, sofrendo rápida decomposição – mais rápida do que se ficasse imerso na água. Supõe que, houvesse esse sido o caso, teria talvez vindo à tona na quarta-feira, e acha que somente sob tais circunstâncias poderia ter aparecido na superfície. Logo, ele se apressa em mostrar que o corpo não foi mantido na margem; pois, nesse caso, 'algum vestígio dos assassinos teria sido encontrado na margem'. Não existe meio pelo qual fazê-lo ver como a mera duração do corpo na margem seria capaz de agir para multiplicar os vestígios dos criminosos. Tampouco eu consigo ver.

– *"E, além do mais, é sumamente improvável"* – continua nosso periódico, *"que algum vilão que houvesse cometido tal crime como o que se supõe aqui teria jogado o corpo sem lhe atar algum peso para afundá-lo, quando tal precaução poderia facilmente ter sido tomada."* Observe, aqui, a risível confusão de pensamento! Ninguém – nem mesmo o L'Etoile – discute o assassinato cometido contra o corpo encontrado. As marcas da violência são demasiado óbvias. A intenção de nosso argumentador é meramente mostrar que aquele não é o corpo de Marie. Ele deseja provar que Marie não foi assassinada – não que o corpo não foi. Contudo, sua observação prova apenas o último ponto. Eis ali um cadáver sem um peso atado a ele. Os assassinos, ao atirá-lo à água, nunca teriam deixado de prendê-lo a um peso. Logo, não foi jogado pelos assassinos. Isso é tudo que se provou, se é que alguma coisa foi provada. A questão da identidade não é sequer abordada e o L'Etoile então se empenha com o maior afã em meramente negar o que admitiu apenas um momento antes: *"Estamos perfeitamente convencidos de que o corpo encontrado era o de uma mulher assassinada."*

– E esse não é o único exemplo, mesmo nessa divisão de seu tema, em que nosso argumentador involuntariamente argumenta contra si mesmo. Seu objetivo evidente, como já disse, é reduzir, tanto quanto possível, o intervalo entre o desaparecimento de Marie e a descoberta do corpo. Contudo, vemos como insiste no ponto de que ninguém viu a moça a partir do instante em que deixou a casa de sua mãe. *"Não temos qualquer evidência de que Marie Rogêt estivesse no mundo dos vivos após as nove horas do domingo, 22 de junho."* O jornal deveria, pelo menos, ter deixado esse ponto de fora, pois, caso aparecesse alguém que tivesse visto Marie, digamos na segunda, ou na terça, o intervalo em questão teria ficado muito reduzido e, por seu próprio raciocínio, a probabilidade muito diminuída de o corpo ser o da jovem. É todavia divertido observar que o L'Etoile insiste nesse ponto na plena crença de que favorece seu argumento geral.

– Reexamine agora essa parte do argumento que faz referência à identificação do corpo por Beauvais. Em relação aos cabelos no braço, o L'Etoile foi obviamente desonesto. Sr. Beauvais, não sendo um idiota, jamais teria frisado, numa identificação do cadáver, simplesmente cabelos no braço. Não existe braço sem cabelos. A generalidade com que o L'Etoile se expressou é uma mera deturpação da fraseologia da testemunha. Ele deve ter se referido a alguma peculiaridade nesses cabelos. Possivelmente uma peculiaridade de cor, quantidade, comprimento ou condições.

– *"Seu pé era pequeno"*, afirma o jornal. Assim como milhares de pés. Sua liga também não constitui prova alguma – tampouco seu sapato – pois sapatos e ligas são vendidos em embalagens. O mesmo pode ser dito das flores em seu chapéu. Um dos pontos em que insiste fortemente Beauvais é de que a presilha da liga havia sido puxada para trás a fim de mantê-la no lugar. Isso não diz nada; pois a maioria das mulheres julga apropriado levar o par de ligas para casa e ajustá-las ao tamanho das pernas que irão cingir, em lugar de experimentá-las na própria loja onde as adquiriram. Aqui é difícil supor que o jornal esteja falando sério.

Houvesse Beauvais, em sua procura pelo corpo de Marie, descoberto um corpo correspondendo em tamanho geral e aparência ao da moça desaparecida, seria justificável (sem fazer qualquer referência à questão do traje) formar a opinião de que sua busca fora frutífera. Se, além do detalhe de tamanho geral e contorno, ele houvesse encontrado no braço uma característica peculiar dos pelos que tivesse observado em Marie quando viva, sua opinião poderia ter ficado, com toda justiça, fortalecida; e o aumento da convicção poderia perfeitamente ter sido proporcional à peculiaridade, ou raridade, da marca peluda. Se, os pés de Marie sendo pequenos, os do cadáver também fossem pequenos, o aumento da probabilidade de que o corpo era o de Marie não seria um aumento na proporção meramente aritmética, mas um de ordem elevadamente geométrica, ou acumulativa. Acresça-se a tudo isso sapatos como os que ela estivera sabidamente usando no dia de seu desaparecimento e, ainda que esses sapatos possam ser 'vendidos em embalagens', aumentamos nesse ponto a probabilidade de pender na direção da certeza. O que, em si mesmo, não seria qualquer evidência de identidade, torna-se, mediante sua posição corroborativa, a prova mais segura. Consideremos, então, as flores no chapéu como correspondendo às usadas pela garota desaparecida, e deixamos de procurar qualquer outra coisa. Se for apenas uma flor, não precisamos ir além – que dizer de duas ou três, ou mais? Cada flor sucessiva é uma evidência múltipla – não prova adicionada à prova, mas multiplicada por centenas de milhares. Descobrindo-se agora na falecida ligas como as que a moça usava em vida, é quase loucura prosseguir. Mas como se viu essas ligas estavam apertadas com um ajuste da presilha, exatamente como as da própria Marie haviam sido por esta ajustadas pouco antes de sair de casa. Nesse ponto é desatino ou hipocrisia duvidar. O que o L'Etoile diz com respeito a esse ajuste da liga ser uma ocorrência usual nada revela além de sua própria obstinação no erro. A natureza elástica da presilha da liga é em si uma demonstração da raridade do encurtamento. É inevitável que o que foi feito para se ajustar sozinho deve muito dificilmente exigir um ajuste alheio. Deve ter sido por algum acidente, em seu sentido estrito, que essas ligas de Marie precisaram do ajuste descrito. Só elas já teriam bastado amplamente para determinar sua identidade. Mas não pelo fato de o cadáver encontrado ter as ligas da moça desaparecida, ou os sapatos, ou seu chapéu, ou as flores de seu chapéu, ou seus pés, ou uma marca peculiar no braço, ou seu tamanho e aparência gerais – é o fato de o corpo ter cada uma dessas coisas, e todas coletivamente. Pudesse ser provado que o editor do L'Etoile, sob tais circunstâncias, alimentou de fato uma dúvida, não haveria necessidade, nesse caso, de uma autorização judicial. – observou Dupin.

– Ele achou sagaz arremedar a conversa mole dos advogados, que, na maior parte, se contentam em arremedar os preceitos quadrados dos tribunais. Eu ob-

O Gato Preto

servaria aqui que grande parte do que é rejeitado como evidência em um tribunal é a melhor das evidências para o intelecto. Pois o tribunal, pautando-se pelos princípios gerais da evidência – os princípios reconhecidos e registrados nos livros __, é avesso a guinadas perante casos particulares. E essa adesão firme ao princípio, com rigorosa desconsideração da exceção conflitante, é um modo seguro de atingir o máximo de verdade atingível, em qualquer longa sequência de tempo. A prática, em massa, é desse modo filosófica; mas não é menos certo que engendra vasto erro individual.

– Com respeito às insinuações dirigidas contra Beauvais, você de bom grado as descartará num piscar de olhos. Já teve oportunidade de sondar o verdadeiro caráter desse bom cavalheiro. Trata-se de um bisbilhoteiro, com mais romance do que tino na cabeça. Qualquer um assim constituído prontamente se conduzirá, por ocasião de uma real comoção, de modo a se tornar sujeito a suspeitas por parte dos muito argutos ou dos mal-intencionados. M. Beauvais (ao que parece de suas anotações) entreviu-se em algumas ocasiões com o editor do L'Etoile, e ofendeu-o aventando a opinião de que o corpo, não obstante a teoria do editor, era, sem a menor sombra de dúvida, o de Marie. *"Ele insiste em afirmar que o cadáver era o de Marie, mas é incapaz de fornecer uma particularidade, além daquelas sobre as quais já comentamos, para fazer com que os outros acreditem."* – diz o jornal. Ora, sem voltar a aludir ao fato de que uma forte evidência 'para fazer com que os outros acreditem' jamais poderia ter sido aduzida, vale observar que um homem pode perfeitamente partilhar de uma crença, num caso dessa espécie, sem ser capaz de apresentar uma única razão para que uma segunda parte nela também acredite. Nada é mais vago que impressões de identidade individual. Todo homem reconhece seu próximo, contudo há poucas situações em que a pessoa está preparada para dar um motivo para esse reconhecimento. O editor do L'Etoile não tinha o menor direito de se ofender com a crença ilógica de Beauvais.

– Poderá ver que as circunstâncias suspeitas que o envolvem casam-se muito melhor com minha hipótese de bisbilhotice romântica do que com a insinuação de culpa que faz o jornal. Uma vez adotada a interpretação mais benevolente, não encontraremos dificuldade em compreender a rosa no buraco de fechadura; o 'Marie' sobre a lousa; os homens da família tirados do caminho; a relutância em que os parentes vissem o corpo; a advertência feita a Sra. B__ de que não deveria empreender qualquer conversa com o gendarme até seu regresso (Beauvais); e, por último, sua aparente determinação de que 'ninguém deveria ter qualquer envolvimento com os procedimentos a não ser ele mesmo'. Parece-me inquestionável que Beauvais era um pretendente de Marie; que ela flertava com ele; e que ele ambicionava dar a entender que gozava de toda sua intimidade e confiança. Nada mais direi a esse respeito; e, na medida em que os testemunhos refutam completamente as alegações do L'Etoile, no tocante à questão da apatia por parte da mãe e dos demais parentes – apatia inconsistente com a suposição de acreditarem ser aquele corpo o da moça da perfumaria – deveremos agora passar a ver se a questão da identidade foi resolvida de modo plenamente satisfatório para nós.

Eu perguntei a esta altura:

– E o que pensa você sobre as opiniões do *Le Commercial*?

– Que, em espírito, são de longe muito mais dignas de atenção que quaisquer outras já aventadas sobre o assunto. As deduções a partir das premissas são filosóficas e perspicazes. Mas as premissas, em dois casos, pelo menos, estão fundamentadas na observação imperfeita. O *Le Commercial* acha que Marie foi capturada por alguma gangue de vis rufiões não muito longe da porta de sua mãe: *"É impossível que uma pessoa tão bem conhecida por milhares, como era essa jovem, tenha transposto três quadras sem que ninguém a tenha visto."* Essa é a ideia de um homem residindo há muito tempo em Paris – um homem público – e um cujas caminhadas pela cidade têm se limitado na maior parte às vizinhanças dos prédios públicos. Ele tem consciência de que dificilmente ele chega a percorrer uma dúzia de quadras de seu próprio bureau sem ser reconhecido e abordado. E, sabedor da extensão de sua própria familiaridade com os outros, e dos outros consigo, compara sua notoriedade com a da moça da perfumaria, não vê grande diferença entre os dois e chega na mesma hora à conclusão de que ela, em suas caminhadas, seria igualmente sujeita a reconhecimento como ele o é nas suas. Esse só poderia ser o caso se os trajetos dela fossem sempre do mesmo caráter invariável, metódico, e restritos ao mesmo tipo de área delimitada que os dele. Ele vai e vem, a intervalos regulares, no interior de um perímetro limitado, repleto de indivíduos que são induzidos a observá-lo pelo interesse que a natureza análoga da ocupação do jornalista com as deles próprios desperta. Mas devemos supor que as caminhadas de Marie sejam, em geral, erráticas. Nesse caso em particular, entende-se como o mais provável que ela tenha seguido um trajeto com variação em média maior do que de costume. O paralelo que imaginamos ter existido na cabeça do *Le Commercial* se sustentaria apenas na eventualidade de dois indivíduos cruzando a cidade toda. Nesse caso, admitindo-se que as relações pessoais sejam iguais, as chances também seriam iguais de que um igual número de encontros pessoais ocorresse. De minha parte, sustento ser não só possível, como também muito mais do que provável, que Marie pode ter seguido, a qualquer hora dada, por qualquer um dos inúmeros trajetos entre sua própria residência e a de sua tia, sem encontrar um único indivíduo que conhecesse, ou de quem fosse conhecida. Ao ver essa questão sob sua luz plena e apropriada, devemos ter com firmeza em mente a grande desproporção entre os conhecidos pessoais até mesmo do indivíduo mais notado de Paris e a população inteira da própria cidade.

– Mas seja qual for a eloquência que aparentemente ainda exista na insinuação do *Le Commercial*, ela ficará grandemente diminuída quando levarmos em consideração a hora em que a moça saiu. *"Foi no momento em que as ruas estavam cheias de gente"*, diz o *Le Commercial*, 'que ela saiu.' Mas não foi assim. Eram nove horas da manhã. Ora, às nove horas de qualquer dia da semana, com exceção de domingo, as ruas da cidade estão, de fato, repletas de gente. Às nove horas de uma manhã dominical, a população se encontra na maior parte dentro de casa, preparando-se para ir à igreja. Nenhuma pessoa observadora terá deixado de notar o ar peculiarmente deserto da cidade entre cerca de oito e dez da manhã todo domingo. Entre as dez e onze as ruas ficam cheias, mas não em um horário tão cedo como o que foi indicado.

– Há um outro ponto no qual parece haver uma falha de observação por parte do *Le Commercial*, ao afirmar que *"um pedaço de uma das anáguas da infeliz garota, com sessenta centímetros de comprimento e trinta de largura, foi arrancado e amarrado sob seu queixo e em torno da nuca, provavelmente para impedir que gritasse. Isso foi feito por sujeitos que não carregam lenços de bolso"*. Se essa ideia está ou não bem fundamentada é algo que nos empenharemos em ver mais adiante; mas por *"sujeitos que não carregam lenços de bolso"*, o jornalista entende a mais baixa classe de rufiões. Esses, entretanto, são exatamente o gênero de pessoas que sempre carregam consigo algum lenço, mesmo quando destituídos de camisa. Você já deve ter tido ocasião de observar quão absolutamente indispensável, em anos recentes, para esses rematados meliantes, tem se constituído o lenço de bolso.

Então, perguntei:

– E o que devemos pensar do artigo no Le Soleil?

– É uma pena que seu redator não tenha nascido papagaio – nesse caso ele teria sido o mais ilustre papagaio de sua raça. Ele tem meramente repetido os itens individuais da opinião já publicada; coligindo-as, com louvável diligência, ora desse jornal, ora daquele. Afirma que *"os objetos estavam todos evidentemente ali, havia pelo menos três ou quatro semanas, e não pode haver dúvida, portanto, que o lugar dessa macabra barbaridade foi encontrado"*. Os fatos aqui reafirmados pelo Le Soleil estão realmente muito longe de eliminar minhas dúvidas quanto a esse assunto e iremos dentro em breve examiná-los com maiores particularidades em suas conexões com outra parte do assunto.

– No presente momento, devemos nos ocupar de outras investigações. Decerto você não deixou de observar a extrema negligência no exame do cadáver. Naturalmente, a questão da identidade foi prontamente determinada, ou deveria ter sido; mas havia outros pontos a serem verificados. Acaso o corpo foi em algum aspecto despojado? A vítima usava algum artigo de joalheria ao sair de casa? Se usava, continuava com alguma joia ao ser encontrada? Essas são questões centrais absolutamente não abordadas nos testemunhos; e há outras de igual importância, que não receberam atenção alguma. Devemos nos empenhar em nos satisfazer mediante uma investigação pessoal. O caso de St Eustache deve ser reexaminado. Não alimento a menor suspeita em relação a ele; mas procedamos com método. Vamos averiguar além da dúvida a validade da declaração juramentada respeitante a seu paradeiro no domingo. Documentos dessa espécie são facilmente tornados objeto de mistificação. Se nada errado se apresentar aí, entretanto, descartaremos St Eustache de nossas inquirições. Seu suicídio, por mais corroborante de suspeita caso se descobrisse alguma falsidade no depoimento, de modo algum constitui, sem tal falsidade, circunstância inexplicável, ou uma a exigir que nos desviemos da linha da análise ordinária.

– Nisso que agora proponho, negligenciaremos os pontos internos dessa tragédia, e focaremos nossa atenção em seus detalhes periféricos. Não é o menor dos erros em investigações como essa restringir o escopo ao imediato, com total desprezo dos eventos colaterais ou circunstanciais. É o mau costume dos tribunais confinar a apresentação de provas e a argumentação aos limites da aparente relevância. Contudo, a experiência mostrou, e uma verdadeira filosofia sempre mostrará, que uma vasta parte da verdade, talvez a maior, surge do que é aparentemente irrelevante. É por meio do espírito desse princípio, quando não precisamente por meio de sua letra, que a ciência moderna tem optado por calcular com base no imprevisto. Mas talvez eu não esteja me fazendo compreender. A história do conhecimento humano tem tão ininterruptamente mostrado que a eventos colaterais, incidentais ou acidentais devemos as descobertas mais numerosas e valiosas, que acabou se tornando necessário, em qualquer visão em perspectiva do aperfeiçoamento, conceder não apenas vultosos, mas os mais vultosos subsídios para invenções que surgirão por acaso, e completamente fora do alcance da expectativa comum. Já não é mais filosófico basear no que foi uma visão do que será. O acidente é admitido como parte da subestrutura. Fazemos do acaso matéria de cálculo absoluto. Sujeitamos o inesperado e o inimaginado às fórmulas matemáticas das escolas.

– Repito que isso nada mais é que um fato, que a porção mais ampla de toda verdade brota do que é colateral; e não é senão de acordo com o espírito do princípio implicado neste fato que eu desviaria a investigação, no presente caso, do terreno repisado e até aqui infrutífero do próprio evento em si para as circunstâncias contemporâneas que o cercam. Enquanto você verifica a validade do depoimento juramentado, examinarei os jornais de um modo mais geral do que fez até agora. Até o momento, inspecionamos apenas o campo de investiga-

O Gato Preto

ção; mas será de fato estranho se um levantamento abrangente dos periódicos, tal como proponho, não nos proporcionar alguns pontos minuciosos que irão determinar uma direção para o inquérito.

Seguindo a sugestão de Dupin, procedi a um escrupuloso exame da questão do documento. O resultado foi a firme convicção de sua validade, e da consequente inocência de St Eustache. Nesse meio-tempo, meu amigo se ocupou, com o que parecia ser uma minúcia absolutamente sem propósito, em um escrutínio dos vários jornais arquivados. Ao final da semana pôs diante de mim os seguintes trechos:

"Cerca de três anos e meio atrás, uma agitação muito semelhante à presente foi causada pelo desaparecimento dessa mesma Marie Rogêt da perfumaria do Sr. Le Blanc no Palais Royal. Ao final de uma semana, entretanto, ela reapareceu em seu balcão costumeiro, tão bem como sempre, com exceção de uma ligeira palidez não inteiramente normal. Foi dito por Sr. Le Blanc e sua mãe que ela havia meramente visitado uma amiga no campo; e o assunto foi prontamente encerrado. Presumimos que a presente ausência seja um capricho da mesma natureza e que, ao expirar-se o prazo de uma semana, ou talvez um mês, teremos sua presença entre nós mais uma vez." Jornal vespertino, segunda-feira, 23 de junho.

"Um jornal vespertino de ontem faz referência a um anterior desaparecimento misterioso de Mademoiselle Rogêt. É bem sabido que, durante a semana de sua ausência da perfumaria de Le Blanc, encontrava-se ela na companhia de um jovem oficial da marinha, muito afamado por seu comportamento dissoluto. Uma briga, supõe-se, providencialmente levou a jovem a voltar para casa. Sabemos o nome do casanova em questão, que, no presente momento, encontra-se aquartelado em Paris, mas, por motivos óbvios, abstemo-nos de tornar público." Le Mercurie, terça-feira, 24 de junho.

"Uma barbaridade do caráter mais atroz foi perpetrada perto desta cidade anteontem. Um cavalheiro, acompanhado de esposa e filha, requereu, ao fim do dia, os serviços de seis rapazes que remavam ociosamente um bote entre uma e outra margem do Sena, para que os transportassem até o outro lado do rio. Ao chegarem na margem oposta, os três passageiros desembarcaram e já haviam se distanciado a ponto de perder o bote de vista quando a filha percebeu que esquecera a sombrinha. Ao voltar para recuperá-la, foi dominada pela gangue, levada pelo rio, amordaçada, brutalizada e finalmente conduzida de volta à margem num ponto não muito longe daquele onde originalmente subira a bordo com seus pais. Os vilões acham-se fugidos no momento, mas a polícia está em seu rastro, e alguns deles em breve serão capturados." Jornal matutino, 25 de junho.

"Recebemos uma ou duas missivas cujo propósito é ligar o crime da recente atrocidade a Mennais [Mennais foi um dos envolvidos originalmente considerado suspeito e detido, mas solto por absoluta falta de evidência]; mas como esse cavalheiro foi plenamente exonerado por uma investigação legal, e como os argumentos de nossos diversos correspondentes parecem exibir mais fervor do que profundidade, não julgamos aconselhável torná-las públicas." Jornal matutino, 28 de junho.

"Temos recebido diversas missivas veementemente redigidas, ao que parece de fontes variadas, e que interpretam em grande medida como coisa certa que a desafortunada Marie Rogêt foi vítima de um dos inúmeros bandos de meliantes que infestam os arredores da cidade aos domingos. Nossa própria opinião é decididamente a favor dessa suposição. Daqui por diante vamos nos empenhar em expor alguns desses argumentos." Jornal vespertino, terça-feira, 31 de junho.

"Na segunda-feira, um dos balseiros empregados no serviço fiscal avistou um bote vazio flutuando pelo Sena. As velas estavam no fundo do barco. O balseiro rebocou-o à administração das barcaças. Na manhã seguinte, alguém o levou dali sem ser visto por nenhum dos funcionários. O leme encontra-se nesse momento na administração das barcaças." Le Diligence, quinta-feira, 26 de junho.

Depois de ler esses vários trechos, eles não só me pareceram irrelevantes, como também fui incapaz de perceber um modo pelo qual qualquer um deles poderia se aplicar ao assunto em questão. Aguardei alguma explicação de Dupin, que disse:

– No presente momento não tenho a intenção de deter-me no primeiro e no segundo desses excertos. Eu os copiei principalmente para mostrar o extremo desleixo das autoridades, que, até onde posso depreender pelo chefe de polícia, não se deram o trabalho, em nenhum aspecto, de proceder a um exame do oficial naval ao qual se aludiu. Contudo, não passa de mera insensatez dizer que entre o primeiro e o segundo desaparecimento de Marie não existe qualquer ligação presumível. Vamos admitir que a primeira fuga tenha terminado em uma briga entre os enamorados, e a volta para casa da moça desiludida. Estamos agora preparados para entender uma segunda fuga (se sabemos que uma fuga mais uma vez teve lugar) como indicativa de uma renovação dos avanços do sedutor, mais do que como resultado de novas propostas feitas por um segundo indivíduo – estamos preparados para encarar isso como 'as pazes' de um velho amor, mais do que como o início de um novo. As chances são de dez contra um de que aquele que fugira com Marie propusesse uma nova fuga, mais do que ela, a quem propostas de fuga haviam sido feitas por um indivíduo, receber essas mesmas propostas por parte de outro. E aqui deixe-me chamar sua atenção para o fato de que o tempo transcorrido entre a primeira fuga e a segunda suposta fuga é de alguns meses mais do que o período geral de cruzeiro de nossas belonaves. Teria sido o enamorado interrompido em sua primeira vilania pela necessidade de se fazer ao mar, e teria aproveitado o primeiro momento de seu regresso para retomar as vis intenções ainda não inteiramente consumadas – ou ainda não inteiramente por ele consumadas? Disso tudo nada sabemos.

– Dirá você, entretanto, que, no segundo caso, não houve fuga alguma, tal como imaginado. Decerto não – mas estamos preparados para afirmar que não houve intenção frustrada? À parte St Eustache, e talvez Beauvais, não encontramos nenhum pretendente reconhecido, declarado ou honrado de Marie. De nenhum outro há qualquer coisa sendo dita. Quem, então, é o enamorado secreto, de quem os parentes (pelo menos a maioria deles) nada sabe, mas com quem Marie se encontrou na manhã de domingo, e que goza tão profundamente de sua confiança que ela não hesita em permanecer em sua companhia até o cair das sombras noturnas, em meio aos solitários bosques da Barreira Roule? Quem é esse amante secreto, pergunto, a respeito de quem, pelo menos, a maioria dos parentes nada sabe? E qual o significado da singular profecia de Sra. Rogêt na manhã em que Marie partiu? "Receio que nunca mais verei Marie outra vez".

– Se não imaginamos Sra. Rogêt a par do plano de fuga, não podemos ao menos supor que essa fosse a intenção acalentada pela moça? Ao sair de casa, ela deu a entender que pretendia visitar a tia na Rua des Drômes, e St Eustache foi solicitado a buscá-la após escurecer. Ora, a um primeiro olhar, esse fato depõe fortemente contra minha sugestão; – mas reflitamos. Que ela de fato encontrou-se com alguém, e prosseguiu com ele até o outro lado do rio, chegando à Barreira Roule já bem tarde, às três horas, é sabido. Mas ao consentir em acompanhar esse indivíduo (com seja lá que propósito – conhecido ou ignorado por sua mãe), deve ter pensado na intenção que expressara ao sair de casa, e na surpresa e desconfiança suscitada no peito daquele a quem estava prometida, St Eustache, quando, indo à sua procura, na hora designada, na Rua des Drômes, viesse a descobrir que ela não aparecera por lá, e quando, além do mais, ao voltar à pensão com sua alarmante informação, viesse a tomar consciência de sua prolongada ausência de casa. Ela deve ter pensado nessas coisas, repito. Deve ter previsto a mortificação de St Eustache, a desconfiança de todos. Não poderia ter pensado em voltar para confrontar essa desconfiança; mas a desconfiança se torna um ponto de trivial importância para ela se supomos que não pretende voltar.

– Podemos imaginá-la pensando assim: "Vou encontrar determinada pessoa com o propósito de fugir, ou com determinados outros propósitos conhecidos apenas de mim mesma. É necessário que não haja qualquer oportunidade de interrupção. Devemos ter tempo suficiente para nos esquivar de qualquer busca. Darei a entender que vou visitar e passar o dia em minha tia na rua des Drômes. Pedirei a St Eustache que só venha me buscar ao escurecer. Desse modo, minha ausência de casa pelo mais longo período possível, sem causar desconfiança ou ansiedade, ficará explicado, e ganharei mais tempo do que de qualquer outra maneira. Se peço a St Eustache para me buscar ao escurecer, ele com certeza não virá antes disso; mas se me omitir por completo de pedir que venha me buscar, meu tempo de fuga ficará reduzido, uma vez que seria de se esperar meu regresso quanto antes, e minha ausência despertará ansiedade mais cedo. Ora, se fosse minha intenção voltar de um modo ou de outro. Se estivesse contemplando meramente um passeio com o indivíduo em questão, não seria minha estratégia pedir que St Eustache fosse ao meu encontro, pois, ao buscar-me, ele certamente perceberá que o enganei. Posso mantê-lo para sempre na ignorância, saindo de casa sem notificá-lo de minha intenção, voltando antes de escurecer e depois afirmando que visitara minha tia na rua des Drômes. Mas como é minha intenção jamais regressar, ou não regressar por algumas semanas, ou pelo menos não até que certos acobertamentos sejam efetuados, o ganho de tempo é o único ponto sobre o qual preciso me preocupar.

– Como você observou em suas anotações, a opinião mais geral acerca desse triste episódio é, e sempre foi desde o início, a de que a garota havia sido vítima de uma gangue de meliantes. Ora, a opinião popular, sob certas condições, não deve ser desprezada. Quando surgida por si mesma ou se manifestando de um modo estritamente espontâneo. Devemos olhar para ela como análoga a essa intuição que é a idiossincrasia do homem de gênio individual. Em noventa e nove de cada cem casos eu me pautaria pelo que ela decidir. Mas é importante não encontrarmos o menor vestígio palpável de sugestão. A opinião deve ser rigorosamente apenas do público; e a distinção é muitas vezes sumamente difícil de perceber e de manter. No presente caso, parece-me que essa 'opinião pública' em relação a uma gangue foi introduzida pelo evento colateral que está detalhado no terceiro de meus excertos. Toda Paris ficou agitada com a descoberta do cadáver de Marie, uma moça jovem, muito bonita e conhecida. Esse corpo foi encontrado exibindo marcas de violência e boiando no rio. Mas é depois divulgado que, nesse mesmo período, ou por volta desse mesmo período, em que se supõe que a garota foi assassinada, uma barbaridade de natureza similar à que se submeteu a falecida, embora em menor extensão, foi perpetrada por uma gangue de jovens rufiões contra a pessoa de uma segunda jovem. Não é extraordinário que uma atrocidade conhecida influencie o juízo popular em relação à outra, desconhecida? Esse juízo aguardava uma orientação, e a conhecida barbaridade pareceu tão oportunamente concedê-la! Marie, também, foi encontrada no rio; e foi precisamente nesse rio que a barbaridade de que se tem conhecimento foi cometida. A ligação entre os dois eventos teve tanto de palpável que o verdadeiro motivo de espanto teria sido a população deixar de percebê-la e dela se apoderar. Mas, na verdade, uma atrocidade, reconhecidamente admitida como tal, é, se alguma coisa for, evidência de que a outra, cometida em um período quase coincidente, não o foi. Teria sido um milagre de fato se, enquanto uma gangue de rufiões perpetrava, em uma dada localidade, uma iniquidade das mais ultrajantes, tivesse havido outra gangue similar, em uma localidade similar, na mesma cidade, sob as mesmas circunstâncias, com os mesmos meios e instrumentos, envolvida em iniquidade precisamente do mesmo aspecto, precisamente no mesmo período de tempo! E contudo em que senão nessa maravilhosa cadeia de coincidências a opinião acidentalmente sugestionada do populacho espera que acreditemos?

– Antes de ir mais além, consideremos a suposta cena do assassinato, em meio à moita da barreira du Roule. Essa moita, embora densa, ficava bem nas proximidades de uma estrada pública. Dentro havia três ou quatro grandes pedras, formando uma espécie de banco com encosto e escabelo. Na pedra de cima foi encontrada uma anágua branca; na segunda, um lenço de seda. Uma sombrinha, luvas e um lenço de bolso também foram encontrados. O lenço portava o nome 'Marie Rogêt'. Fragmentos de vestido foram vistos nos galhos em volta. A terra estava revolvida, os arbustos, quebrados, e havia sinais de uma violenta luta.

– Não obstante a aclamação com que a descoberta dessa moita foi recebida pela imprensa, e a unanimidade com que se imaginava que indicaria a precisa cena da barbaridade, deve-se admitir que havia um motivo muito bom para dúvida. Que foi de fato a cena, posso tanto acreditar como não – mas havia um excelente motivo para dúvida. Se a verdadeira cena tivesse sido, como sugeriu o *Le Commercial*, nos arredores da rua Pavée Saint Andrée, os perpetradores do crime, supondo que ainda residam em Paris, teriam naturalmente sido tomados de pânico com a atenção pública desse modo tão agudamente direcionada para o canal apropriado; e, em certas classes de mente, isso teria suscitado, na mesma hora, uma percepção da necessidade de empreender alguma diligência para desviar essa atenção. E assim, a moita na barreira du Roule tendo já levantado suspeitas, a ideia de plantar os objetos onde foram encontrados pode naturalmente ter sido engendrada. Não existe qualquer evidência genuína, embora o Le Soleil assim o suponha, de que os objetos encontrados estivessem mais que uns poucos dias na moita; ao passo que há bastante prova circunstancial de que não podiam ter permanecido ali, sem atrair a atenção, durante os vinte dias transcorridos entre o domingo fatídico e a tarde em que foram descobertos pelos meninos. *"Estavam todos fortemente embolorados"*, diz o Le Soleil, adotando a opinião de seus predecessores, *"pela ação da chuva, e colados com o bolor. A* relva crescera em volta e cobrira alguns deles. A seda da sombrinha era resistente, mas as fibras haviam grudado por dentro. A parte de cima, onde ela fora fechada e enrolada, estava toda embolorada e podre, e rasgou quando aberta." Em relação ao fato de que 'a relva crescera em volta e cobrira alguns deles', é óbvio que o fato só poderia ter sido atestado com base nas palavras, e nas lembranças, de dois meninos pequenos; pois esses meninos removeram os objetos e os levaram para casa antes de serem vistos por uma terceira parte. Mas a relva pode crescer, principalmente no tempo quente e úmido (tal como era o período do assassinato), até cerca de seis ou sete centímetros num único dia. Uma sombrinha caída sobre um solo de grama viçosa pode, numa semana, ficar inteiramente ocultada da vista pela relva que cresceu. E no tocante ao bolor em que o editor do Le Soleil tão obstinadamente insiste, de tal modo que emprega a palavra não menos que três vezes no parágrafo acima citado, acaso será ele realmente ignorante da natureza desse bolor? Ninguém lhe contou que pertence a uma das inúmeras classes de fungos, dos quais a característica mais ordinária é o crescimento e a decadência no intervalo de vinte e quatro horas?

– Desse modo vemos, num rápido olhar, que o que foi mais triunfantemente exemplificado em sustentação à ideia de que os objetos haviam estado ali 'por pelo menos três ou quatro semanas' na moita é da mais absurda nulidade com respeito a qualquer evidência do fato. Por outro lado, é sumamente difícil crer que esses objetos tenham permanecido na referida moita por um período mais prolongado do que uma única semana – por um período mais longo do que o de um domingo até o seguinte. Qualquer um minimamente informado sobre os arredores de Paris sabe a extrema dificuldade de se encontrar isolamento, a não ser a uma grande distância dos subúrbios. Algo como um recanto inexplorado, ou mesmo visitado com pouca frequência, em meio a seus bosques e arvoredos, não é sequer por um instante algo imaginável. Que o tente qualquer um que, sendo no íntimo um amante da natureza, ainda que agrilhoado pelo dever à poeira e ao calor dessa grande metrópole – que qualquer um nessas condições tente, mesmo durante dias úteis, aplacar sua sede de solidão em meio aos cenários adoráveis da natureza que nos cercam. A cada dois passos ele verá seu crescente encanto desmanchado pela voz e a intrusão pessoal de algum rufião ou bando de patifes embriagados. Ele buscará privacidade em meio às densas folhagens, mas em vão. São aí precisamente os esconderijos onde mais alastra essa ralé – aí estão os templos mais profanados. Com o coração apertado nosso transeunte voltará correndo para a poluída Paris como sendo um lugar menos odioso por ser um menos incongruente antro de poluição. Mas se os arredores da cidade são de tal modo perturbados durante os dias úteis da semana, o que não dizer do domingo! É especialmente então que, libertados das obrigações do trabalho, ou privados das costumeiras oportunidades de crime, os meliantes urbanos buscam as vizinhanças da cidade, não por amor ao meio rural, coisa que no íntimo desprezam, mas como um modo de escapar das restrições e convenções da sociedade. Eles desejam menos o ar fresco e as verdes árvores do que a completa licenciosidade do campo. Aqui, numa estalagem de beira de estrada, ou sob a folhagem do arvoredo, entregam-se, sem a restrição de qualquer olhar exceto o de seus companheiros de pândega, a todos os descontrolados excessos de um arremedo de hilaridade, a cria combinada da liberdade e do rum. Não digo nada além do que já deve ser óbvio para qualquer observador desapaixonado quando repito que a circunstância de os objetos em questão terem permanecido sem ser descobertos por um período mais longo do que o de um domingo a outro em qualquer moita nos imediatos arredores de Paris precisa ser encarado como pouco mais que miraculoso.

– Mas não necessitam de outros fundamentos para a suspeita de que os objetos foram plantados na moita com vistas a desviar o olhar da verdadeira cena da barbaridade. E, antes de mais nada, deixe-me dirigir sua atenção para a data em que os objetos foram descobertos. Compare essa data com a do quinto excerto por mim próprio separado dos jornais. Vai perceber que a descoberta se sucedeu, quase imediatamente, às insistentes missivas enviadas ao jornal vespertino. Essas missivas, embora variadas, e aparentemente oriundas de várias fontes, tendiam todas ao mesmo ponto – a saber, direcionar a atenção a uma gangue como sendo os perpetradores dessa barbaridade e à área da Barreira Roule como sendo sua cena. Ora, aqui, é claro, a suspeita não é a de que, em consequência dessas missivas, ou da atenção pública por elas direcionadas, os objetos tenham sido encontrados pelos meninos; mas a suspeita pode e deve ser de que os objetos não tenham sido encontrados antes pelos meninos pelo motivo de que os objetos não estavam antes na moita; tendo sido depositados ali somente em um período posterior, como na data das missivas, ou pouco antes disso, pelos autores mesmo dessas missivas, os culpados.

– Essa moita era singular, sobremaneira singular. Era incomumente densa. Entre suas paredes naturais havia três pedras extraordinárias, formando um banco com encosto e escabelo. E essa moita, tão cheia de arte natural, ficava na imediata vizinhança, a não muitos metros, da residência de Sra. Deluc, cujos meninos tinham por hábito examinar detidamente os arbustos em torno à procura da casca do sassafrás. Acaso seria uma aposta insensata – uma aposta de mil contra um – crer que nem um dia sequer se passasse sobre a cabeça desses meninos sem dar com pelo menos um deles acomodado à sombra desse salão e entronizado em seu trono natural? E quem numa aposta dessas hesitasse, ou nunca foi menino, ou se esqueceu de como é a natureza dos meninos. Repito: é sobremaneira difícil compreender como os objetos podiam ter permanecido nessa moita sem serem descobertos por um período maior do que um ou dois dias; e desse modo há uma boa base para suspeitar, a despeito da dogmática ignorância do Le Soleil, que foram, em data comparativamente recente, deixados no local de sua descoberta.

– Mas há ainda outros motivos, mais fortes do que qualquer outro até aqui enfatizado, para acreditar que foram desse modo deixados. E agora, permita-me chamar sua atenção para a disposição amplamente artificial dos objetos. Na pedra de cima havia uma anágua; na segunda uma echarpe de seda; espalhados em torno, uma sombrinha, luvas e um lenço de bolso exibindo o nome 'Marie Rogêt'. Esse é o tipo de arranjo que teria sido naturalmente feito por uma pessoa não muito inteligente tentando dispor os itens naturalmente. Mas não é de modo algum um arranjo realmente natural. Eu teria esperado antes ver os objetos todos caídos no chão e pisoteados. No estreito confinamento daquele caramanchão, dificilmente teria sido possível que a echarpe e a anágua fossem parar sobre as pedras, quando sujeitadas ao contato repetido de muitas pessoas em luta. Foi dito que *"havia sinais de uma luta; e a terra estava pisoteada, e os galhos, quebrados, mas a anágua e a echarpe são encontrados como que arrumados em prateleiras. Os pedaços de seu vestido arrancados pelos arbustos tinham cerca de oito centímetros de largura e quinze de comprimento. Uma parte era a bainha do vestido, que fora remendada; a outra peça era parte da saia, não a bainha. Pareciam tiras arrancadas."* Aqui, inadvertidamente, o Le Soleil empregou uma expressão sumamente suspeita. Os pedaços, como descrito, de fato 'parecem tiras arrancadas'; mas propositalmente, e com a mão. É acidente dos mais raros que um pedaço seja 'arrancado' de qualquer peça de vestuário tal como essa em questão pela ação de um espinho. Pela própria natureza de tais tecidos, um espinho ou prego neles enganchando os rasga de maneira retangular – divide-os em duas faixas longitudinais, em ângulos retos uma com a outra, e convergindo para um vértice onde entra o espinho – mas dificilmente será possível conceber um pedaço sendo 'arrancado'. Nunca vi tal coisa, você tampouco. Para arrancar um pedaço de tal tecido duas forças distintas, em diferentes direções, serão, praticamente em qualquer situação, exigidas. Se houver duas extremidades no tecido – se, por exemplo, for um lenço de bolso, e se se desejar dele arrancar uma tira, então, e somente então, uma única força servirá ao propósito. Mas no presente caso a questão é de um vestido, que não exibe senão uma extremidade. Arrancar um pedaço da parte interna, onde nenhuma extremidade se apresenta, só poderia ser efetuado por milagre com a ação de espinhos, e nenhum espinho isolado o teria feito. Mas, mesmo onde uma extremidade se apresenta, dois espinhos serão necessários, operando um em duas direções distintas, e o outro em uma. E isso na suposição de que a extremidade não tem bainha. Se houver bainha, é praticamente um assunto fora de questão. Vemos assim os diversos e grandes obstáculos nessa história de pedaços 'arrancados' pela simples ação de 'espinhos'; contudo, é exigido acreditar que não só um pedaço como também muitos foram desse modo arrancados. 'E uma parte', além disso, 'era a bainha do vestido!' Outro pedaço era 'parte da saia, não a bainha' – ou seja, foi completamente arrancado por ação dos espinhos na parte interna do vestido, não a partir de nenhuma extremidade! Essas, repito, são coisas em que facilmente se perdoará a descrença; contudo, tomadas em conjunto, formam, talvez, uma base para suspeita menos razoável do que a surpreendente circunstância de os objetos terem sido deixados ali naquela moita por eventuais assassinos precavidos o bastante para pensar em remover o corpo. Mas você não terá compreendido direito onde quero chegar se supuser que é meu intento desacreditar essa moita como a cena da barbaridade. Pode ter ocorrido algum delito ali, ou, mais possivelmente, um acidente na casa de Sra. Deluc. Mas, na verdade, essa é uma questão de menor importância. Não estamos empenhados em tentar descobrir a cena, mas em achar os perpetradores do crime. O que aduzi, não obstante o detalhamento de minhas aduções, foi com vistas a, primeiro, mostrar a insensatez das afirmações confiantes e precipitadas do Le Soleil, mas, em segundo e sobretudo, conduzi-lo, pela rota mais natural, a uma mais aprofundada contemplação da dúvida quanto a se esse assassinato foi ou não obra de uma gangue.

– Retomaremos essa questão meramente aludindo aos revoltantes detalhes do cirurgião consultado na investigação. É necessário dizer apenas que as inferências dele publicadas em relação ao número de rufiões têm sido apropriadamente ridicularizadas como errôneas e totalmente infundadas por todos os anatomistas de reputação em Paris. Não que o caso não poderia ter sido como o inferido, mas por não haver base para a inferência: não havia bastante para uma outra?

– Reflitamos agora quanto aos 'sinais de luta'; e deixe-me perguntar o que se supõe que esses indícios tenham demonstrado. Uma gangue. Mas não demonstram eles antes a ausência de uma gangue? Que luta poderia ter tido lugar – que luta tão violenta e tão demorada a ponto de ter deixado seus 'sinais' em todas as direções – entre uma jovem fraca e indefesa e a gangue de rufiões imaginada? A silenciosa ação de uns poucos braços rudes e tudo estaria terminado. A vítima teria se mostrado inteiramente passiva sob a vontade deles. Tenha em mente que os argumentos enfatizados contra a moita como cena são aplicáveis, na maior parte, apenas contra o lugar como cena de uma barbaridade cometida por mais que um único indivíduo. Se imaginamos apenas um transgressor, podemos conceber, e apenas assim conceber, uma luta de natureza tão violenta e obstinada a ponto de ter deixado 'sinais' aparentes.

– E volto a repetir. Já mencionei a suspeita despertada pelo fato de que os objetos em questão possam ter permanecido de algum modo na moita onde foram encontrados. Parece quase impossível que essas evidências de culpa tenham sido acidentalmente deixadas no lugar de sua descoberta. Houve suficiente presença de espírito (ao que tudo indica) para a remoção do cadáver; e contudo uma evidência ainda mais explícita que o próprio corpo (cujas feições podiam vir a ser rapidamente obliteradas pela putrefação) é abandonada conspicuamente na cena da barbaridade – estou aludindo ao lenço com o nome da vítima. Se isso foi um acidente, não foi o acidente de uma gangue. Só podemos imaginá-lo como o acidente de um indivíduo. Vejamos. Um indivíduo cometeu o crime. Está sozinho com o fantasma da falecida. Apavorado com o corpo inerte diante de si. A fúria de suas paixões se esvaiu e há espaço de sobra em seu coração para o terror natural inspirado pelo ato. Nele nada existe dessa confiança que a presença de um grande número inevitavelmente inspira. Ele está sozinho com a morta. Está tomado por tremores e confusão. Contudo há a necessidade de se livrar do corpo. Ele o carrega até o rio, mas deixa para trás as demais evidências de culpa; pois é difícil, quando não impossível, carregar tudo de uma só vez, e será fácil voltar ao que deixou. Mas em sua árdua jornada até a água seus medos redobram dentro dele. Sons de atividade o cercam pelo trajeto. Uma dúzia de vezes escuta ou imagina escutar passos de algum observador. Até as próprias luzes da cidade aumentam sua confusão. Contudo, com o tempo, e fazendo longas e frequentes pausas de profunda agonia, ele chega à margem do rio, e livra-se do macabro fardo – talvez com o uso de um bote. Mas agora que tesouro haveria neste mundo – que ameaça de vingança poderia existir – capaz de incitar esse assassino solitário a refazer seus passos pela trilha laboriosa e arriscada até aquela moita com suas reminiscências de enregelar o sangue? Ele não volta, sejam quais forem as consequências. Não conseguiria voltar nem se quisesse. Seu único pensamento é a fuga imediata. Ele dá as costas para sempre ao apavorante bosque e corre da ira que está por vir.

– Mas, e com uma gangue? Seu número teria infundido confiança; se, de fato, a confiança está alguma vez ausente no peito desses rematados meliantes; e unicamente de rematados meliantes imagina-se que as gangues sejam constituídas. Seu número, repito, teria poupado a desorientação e o terror que segundo imaginei paralisariam o homem solitário. Supuséssemos um descuido em um, ou dois, ou três, esse descuido teria sido remediado por um quarto. Eles não teriam deixado nada atrás de si; pois seu número lhes teria permitido carregar tudo de uma vez. Não teria havido necessidade de regresso.

– Considere agora a circunstância de que, no exterior do vestido, como encontrado no cadáver, *"uma faixa, com cerca de trinta centímetros de largura, fora rasgada da barra inferior até a cintura, mas não arrancada. Estava enrola-*

da três vezes em torno da cintura e presa por uma espécie de nó às costas". Isso foi feito com o óbvio propósito de constituir uma alça pela qual carregar o corpo. Mas que número de homens teria ideado recorrer a tal expediente? Para três ou quatro, os braços e pernas do cadáver teriam constituído não apenas ponto de preensão suficiente, mas o melhor ponto possível. O recurso cabe a um único indivíduo; e isso nos conduz ao fato de que, 'entre a moita e o rio, descobriu-se que as tábuas da cerca haviam sido derrubadas e o solo mostrava evidência de que algum pesado fardo fora arrastado'! Mas que homens, se em algum número, dariam o trabalho supérfluo de derrubar uma cerca com o propósito de arrastar por ela um corpo que poderiam ter erguido por cima da cerca num piscar de olhos? Que número de homens teria desse modo arrastado um cadáver e deixado evidentes vestígios de sua ação?

– E aqui devemos fazer referência a uma observação do *Le Commercial*; observação sobre a qual, em certa medida, já aventei um comentário. O jornal fala em *"um pedaço de uma das anáguas da infeliz garota com sessenta centímetros de comprimento e trinta de largura, foi arrancado e amarrado sob seu queixo e em torno da nuca, provavelmente para impedir que gritasse. Isso foi feito por sujeitos que não carregam lenços de bolso."*

– Já tive oportunidade de sugerir anteriormente que um genuíno meliante nunca anda sem seu lenço de bolso. Mas não é para esse fato que particularmente advirto. Que não foi por falta de um lenço de bolso para o propósito imaginado pelo *Le Commercial* que essa bandagem foi empregada fica óbvio com o lenço de bolso encontrado na moita; e que o item não se destinava a *"impedir que gritasse"* transparece, também, em ter sido empregada a bandagem preferencialmente ao que com tão mais eficácia teria atendido a esse propósito. Mas o fraseado do depoimento refere-se à faixa em questão como tendo sido *"encontrada em torno do pescoço, enrolada de um modo frouxo, e presa com um nó cego".* Tais palavras são bastante vagas, mas diferem substancialmente das que figuram no *Le Commercial*. Essa faixa de tecido tinha quarenta e cinco centímetros de largura e, logo, embora de musselina, teria funcionado como uma forte atadura quando dobrada ou torcida no sentido longitudinal. E desse modo, torcida, foi encontrada. Minha inferência é a seguinte. O assassino solitário, tendo carregado o cadáver por certa distância (seja desde a moita, seja de outro lugar) com auxílio da bandagem presa em alça no meio, percebeu que o peso, nesse modo de proceder, era grande demais para sua força. Ele resolveu arrastar o fardo – a evidência mostra que foi de fato arrastado. Com tal objetivo em mente, tornou-se necessário atar algo como uma corda a uma das extremidades. O melhor ponto para isso revelou ser o pescoço, onde a cabeça impediria o laço de escapar. E desse modo o assassino inquestionavelmente considerou a faixa em torno dos quadris. Dela poderia ter se servido, não fossem as voltas com que se enrolava em torno do corpo, a alça que a obstruía e a consideração de que não fora 'arrancada' acidentalmente da roupa. Era mais fácil rasgar uma nova tira da anágua. Ele assim o fez, prendendo-a firmemente no pescoço, e desse modo arrastou sua vítima até a margem do rio. Que essa 'bandagem', somente obtida a muito custo e com grande demora, e prestando-se apenas imperfeitamente a sua finalidade – que essa bandagem tenha ainda assim sido empregada demonstra que a necessidade de seu uso derivou de circunstâncias surgidas num momento em que o lenço de bolso não mais estava acessível – isto é, surgidas, como imaginamos, após afastar-se da moita (se de fato era a moita) e na estrada entre a moita e o rio.

– Mas, dirá você, o depoimento da Sra. Deluc aponta especialmente para a presença de uma gangue nas cercanias da moita, no instante ou perto da hora do crime. Isso eu admito. Duvido que não houvesse uma dúzia de gangues, tal como a descrita por Sra. Deluc, no local e nos arredores da Barreira Roule no instante ou perto de quando ocorreu essa tragédia. Mas a gangue que atraiu para si a referida animada versão, apesar do testemunho em certa medida tardio e deveras suspeito de Sra. Deluc, é a única gangue descrita por essa velha senhora honesta e escrupulosa como tendo comido seus bolos e tomado seu brande sem haver se dignado a lhe pagar o que deviam. *Et hinc illæ iræ? ("E de onde essa ira?)*

– Mas qual é de fato o preciso depoimento de Sra. Deluc? "Uma gangue de malfeitores chegou, comportaram-se ruidosamente, comeram e beberam sem pagar, seguiram o caminho tomado pelo jovem e pela moça, voltaram à hospedaria ao entardecer e tornaram a cruzar o rio, aparentando grande pressa."

– Ora, essa "grande pressa" possivelmente pareceu ainda maior aos olhos de Sra. Deluc, uma vez que ela se detém prolongada e lamentosamente em seus bolos e sua cerveja profanados – bolos e cerveja para os quais talvez ainda acalentasse uma débil esperança de compensação. Ora, de outro modo, uma vez que era o entardecer, por que frisar a questão da pressa? Não causa admiração, certamente, que mesmo uma gangue de meliantes deva estar com pressa de chegar em casa quando há um amplo rio a ser cruzado em pequenos botes, quando uma tempestade é iminente e quando a noite se aproxima.

– A noite ainda não havia chegado. Foi apenas ao entardecer que a pressa indecente desses 'malfeitores' constituiu ofensa aos sóbrios olhos de Sra. Deluc. Mas somos informados de que é nessa mesma tarde que Sra. Deluc, assim como seu filho mais velho, *"escutou gritos de mulher nos arredores da hospedaria"*. E com que palavras Sra. Deluc descreve o período da tarde em que esses gritos foram ouvidos? *"Foi pouco depois de escurecer"*, diz. Mas 'pouco depois de escurecer' já é, pelo menos, escuro; e 'ao entardecer' certamente ainda há luz do dia. Desse modo fica sobejamente claro que a gangue deixou a barreira du Roule antes dos gritos escutados (?) por Sra. Deluc. E embora nos inúmeros relatos dos testemunhos as relativas expressões em questão sejam distinta e invariavelmente empregadas exatamente do modo como eu as empreguei nessa nossa conversa, nenhuma observação, por menor que seja, da grosseira discrepância foi, ainda, apontada por qualquer um desses jornais ou por qualquer um dos agentes da polícia.

– Aos argumentos contra uma gangue não acrescentarei mais que apenas um único argumento, em meu próprio entendimento, pelo menos, tem um peso absolutamente irresistível. Sob as circunstâncias da grande recompensa oferecida e do pleno perdão prometido a qualquer cúmplice confesso é difícil não imaginar, por um momento, que o membro de alguma gangue de vis rufiões, ou de qualquer bando de homens, já não teria há muito traído seus comparsas. Qualquer membro de tais gangues estaria tão ávido por recompensa, ou ansioso por escapar, quanto receoso de traição. O sujeito se mostrará impaciente e apressado em trair, antes de ser ele próprio traído. Que o segredo ainda não tenha sido revelado é a melhor prova de que permanece, efetivamente, um segredo. Os horrores desse negro feito são conhecidos apenas por um, ou dois, seres humanos, e por Deus.

– Recapitulemos agora os escassos porém seguros frutos de nossa longa análise. Chegamos à ideia seja de um acidente fatal sob o teto de Sra. Deluc, seja de um crime perpetrado, no bosque da barreira du Roule, por um namorado, ou ao menos por um conhecido íntimo e secreto da falecida. Esse conhecido é de tez trigueira. Essa tez, a 'alça' feita com a bandagem e o 'nó de marinheiro' com que a fita do chapéu foi amarrada apontam para um homem do mar. Suas relações com a falecida, uma jovem alegre, embora não abjeta, sugere ser ele alguém acima da patente de marujo comum. Nisso as missivas bem escritas e insistentes dos jornais prestam-se devidamente à corroboração. A circunstância do primeiro sumiço, como mencionado pelo Le Mercurie, tende a combinar a ideia desse marinheiro com a do "oficial de marinha" que, segundo se sabe primeiro induziu a infeliz a cair em desgraça.

– E aqui, muito adequadamente, surge a consideração sobre a ausência persistente desse homem de tez escura. Permita-me fazer uma pausa para observar que a tez desse indivíduo é escura e trigueira; não era nenhum amorenado comum esse que constituiu o único detalhe a ser lembrado tanto por Valence como por Sra. Deluc. Mas por que se acha ausente esse homem? Foi ele assassinado pela gangue? Nesse caso, por que restaram indícios apenas da moça assassinada? A cena das duas barbaridades seria naturalmente de se supor a mesma. E onde está seu corpo? Os assassinos teriam muito provavelmente se livrado de ambos do mesmo modo. Mas pode-se dizer talvez que esse homem ainda vive e se furta a vir a público pelo receio de ser acusado do crime. Podemos supor que tal consideração ocupe agora seus pensamentos – nesse momento posterior – uma vez tendo sido afirmado nos testemunhos que foi visto em companhia de Marie – mas tal argumento não teria força alguma no instante do ato. O primeiro impulso de um homem inocente teria sido denunciar a barbaridade e ajudar na identificação dos rufiões. Tal seria o curso de ação aconselhável. Ele fora visto com a moça. Havia atravessado o rio com ela em um barco aberto. A denúncia dos assassinos teria parecido, mesmo para um parvo, o modo mais seguro e o único de afastar de si qualquer suspeita. Não podemos supô-lo, na noite do fatídico domingo, ao mesmo tempo inocente e ignorante da barbaridade cometida. E contudo apenas sob tais circunstâncias é possível imaginar que ele teria deixado, se vivo, de denunciar os assassinos.

– E que meios possuímos nós de alcançar a verdade? Veremos esses meios se multiplicarem e ganharem nitidez à medida que prosseguirmos. Analisemos até o fundo esse episódio da primeira fuga. Informemo-nos sobre a história completa desse 'oficial', com suas presentes circunstâncias, e seu paradeiro no preciso momento do crime. Comparemos cuidadosamente entre si as várias missivas enviadas ao periódico vespertino cujo objetivo era inculpar uma gangue. Isso feito, comparemos essas missivas, tanto em respeito ao estilo como à caligrafia, com as que foram enviadas ao periódico matutino, em um período precedente, e que insistiam com tal veemência na culpa de Mennais. E, feito tudo isso, comparemos mais uma vez essas várias missivas com a conhecida caligrafia do oficial. Empenhemo-nos em determinar, por intermédio dos repetidos inquéritos de Sra. Deluc e seus meninos, bem como do cocheiro de ônibus, Valence, algo mais sobre a aparência pessoal e a conduta do 'homem de tez escura'. Perguntas, se habilmente direcionadas, não deixarão de extrair, de uma dessas partes, informação acerca desse ponto particular (ou outros) – informação de cuja posse talvez nem mesmo as próprias partes envolvidas tenham consciência de estar. E rastreemos agora o barco recolhido pelo balseiro na manhã da segunda-feira, dia 23 de junho, e que foi retirado da administração das barcaças sem conhecimento do funcionário de plantão e sem o leme, em algum momento anterior à descoberta do cadáver. Com precaução e perseverança apropriadas rastrearemos infalivelmente esse barco; pois não só o balseiro que o apanhou pode identificá-lo como também o leme está à mão. O leme de um barco à vela não teria sido abandonado, sem investigação, por uma alma inteiramente despreocupada. E aqui deixe-me fazer uma pausa para insinuar uma questão. Não se anunciou de modo algum o barco recolhido. Ele foi silenciosamente rebocado para a administração das barcaças, e tão silenciosamente quanto removido. Mas seu proprietário ou usuário – como pode ter acontecido de ele, tão cedo na terça de manhã, ter sido informado, sem o auxílio de um anúncio, do paradeiro do barco levado na segunda, a menos que imaginemos alguma ligação sua com a marinha – alguma relação pessoal permanente implicando o conhecimento de seus mínimos assuntos – de suas corriqueiras notícias locais?

– Ao falar do assassino solitário arrastando seu fardo para a margem, já sugeri a probabilidade de haver ele se servido de um barco. Agora cabe a nos compreender que Marie Rogêt foi de fato atirada de um barco. Esse naturalmente terá sido o caso. O corpo não poderia ter sido confiado às águas rasas da beira do rio. As peculiares marcas nas costas e nos ombros da vítima dão indício do cavername no fundo de um barco. Que o corpo tenha sido encontrado sem um peso também corrobora a ideia. Se lançado da margem, um peso teria sido lastreado. Só podemos explicar sua ausência supondo que o assassino negligenciou a precaução de providenciar algum antes de afastar-se da terra. No ato de consignar o cadáver à água, deve inquestionavelmente ter notado seu descuido; mas então remédio algum haveria à mão. Qualquer risco teria sido preferível a voltar à malfadada margem. Tendo se livrado de seu macabro fardo, o assassino teria regressado apressadamente à cidade. Ali, em algum cais obscuro, teria saltado em terra firme. Mas e o barco – será que o teria amarrado? Sua pressa seria grande demais para se ocupar de tal coisa, como prender o barco. Além disso, amarrando-o ao cais, sua sensação teria sido de constituir uma evidência contra si mesmo. Seu pensamento natural terá sido alijar de sua pessoa, tão longe quanto possível, tudo que guardasse relação com o crime. Ele não só fugiria do cais como também não teria permitido que o barco ali permanecesse. Seguramente o teria lançado à deriva. Sigamos imaginando. – Pela manhã, o canalha é tomado de inenarrável horror ao descobrir que o barco foi resgatado e acha-se recolhido em um local que ele tem o hábito diário de frequentar – em um local, talvez, que seus deveres obrigam-no a frequentar. Na noite seguinte, sem ousar perguntar pelo leme, ele o tira de lá. Mas onde está agora esse barco sem leme? Que seja um de nossos primeiros objetivos descobrir. A um primeiro vislumbre que obtivermos disso, o início de nosso êxito começará a se insinuar. Esse barco vai nos guiar, com uma rapidez que surpreenderá até mesmo a nós próprios, àquele que o empregou na meia-noite do fatídico domingo. Corroboração após corroboração surgirá, e o assassino será rastreado.

Compreenderão que falo de simples coincidências e de nada mais. O que já disse a esse respeito deve bastar. Não há no meu coração qualquer espécie de fé no sobrenatural. Que a Natureza e Deus fazem dois, nenhum homem no seu perfeito juízo negará. Que o último, tendo criado a primeira, possa, à Sua vontade, governá-la ou modificá-la, é igualmente incontestável. Digo: à Sua vontade, pois é uma questão de vontade, e não de poder, como supuseram absurdos lógicos. Não é que a Divindade não possa modificar as Suas leis, mas não A insultemos imaginando uma necessidade possível de modificação. Essas leis foram feitas, desde a origem, para abarcar todas as contingências que possam estar escondidas no futuro. Porque para Deus tudo é presente.

Ressalto que falo dessas coisas simplesmente como de coincidências. Algumas palavras ainda. Encontrarão na minha narrativa com que estabelecer um paralelo entre a sorte da infortunada Mary Cecilia Rogers, pelo menos na medida em que a sua sorte é conhecida, e a de uma tal Marie Rogêt, até uma dada época da sua história... paralelo de que a minuciosa e surpreendente exatidão é feita para embaraçar a razão. Sim, tudo isso saltará aos olhos. Mas que não se suponha por um só instante que, prosseguindo a triste história de Marie a partir do ponto em questão e seguindo até o desfecho de todo o mistério que a envolvia, eu tenha tido o desígnio secreto de sugerir uma extensão do paralelo ou sequer insinuar que as medidas tomadas em Paris para descobrir o assassino de uma caixeira ou que medidas baseadas num método de raciocínio análogo produziriam um resultado análogo. Em relação à última parte da suposição, deve considerar-se que a menor variação nos elementos dos dois problemas poderia engendrar os mais graves erros de cálculo, fazendo divergir as duas correntes de acontecimentos, aproximadamente da mesma maneira que, em aritmética, um erro, que por si só parece irrisório, pode produzir mais tarde, pela força acumulativa da multiplicação, um resultado assustadoramente distante da verdade. Não devemos esquecer, sobre a primeira parte, que esse mesmo cálculo das probabilidades, que já invoquei, proíbe toda e qualquer ideia de extensão do paralelo... proíbe-a com um rigor tanto mais imperioso quanto esse paralelo já foi mais extenso e mais exato. Eis uma afirmação anormal que, embora pareça saída do domínio do pensamento geral (o pensamento estranho às matemáticas), só foi até agora bem compreendida pelos matemáticos.

Nada, por exemplo, é mais difícil do que convencer o leitor não especialista de que, se um jogador de dados conseguiu tirar os dois seis duas vezes seguidas, o fato é uma razão suficiente para apostar forte em como à terceira vez não sairão os dois seis. Uma opinião desse gênero é geralmente rejeitada pela inteligência. Não se compreende de que modo possam as duas jogadas já feitas, e já completamente perdidas no passado, influenciar uma jogada que ainda só existe no futuro. A probabilidade de tirar os dois seis parece igual à que havia em qualquer outro momento do jogo – isto é: exclusivamente submetida à influência das variadíssimas incógnitas do rolar de um par de dados. E é uma reflexão que parece tão evidente que todo e qualquer esforço para contradizê-la é na maioria das vezes acolhido com um sorriso trocista, ou por uma condescendência atenciosa. O erro em questão, grande erro, cheio por vezes de consequências, não pode ser criticado dentro dos limites que aqui me são impostos, e para os filósofos não tem necessidade de sê-lo. Basta dizer que faz parte de uma série infinita de enganos em que a Razão tropeça no seu caminho, devido à infeliz propensão para procurar a verdade no pormenor.

MORELLA

Morella, 1835

"Ele mesmo, por si mesmo unicamente, eternamente, um e único."

– Platão, Simpósio

Eu tinha um profundo sentimento de afeição por minha amiga Morella. Tendo-a conhecido ocasionalmente há muitos anos, a minha alma, desde o nosso primeiro encontro, ardeu num fogo que eu jamais conhecera; mas esse fogo não era o de Eros e, para meu espírito, a gradual convicção de que eu não podia definir o seu insólito significado, nem regular a sua vaga intensidade, representava um amargo tormento. Ainda assim, nós nos encontramos; e o destino nos uniu no altar. Jamais falei de paixão, nem pensei em amor. Ela, no entanto, evitava a sociedade e, apegando-se apenas a mim, fazia-me feliz. É uma felicidade admirar; é uma felicidade sonhar.

A erudição de Morella era profunda. Como espero mostrar, seus talentos não eram comuns. Sua potência mental era gigantesca. Eu percebi e, em muitos aspectos, tornei-me seu discípulo. Logo, no entanto, descobri que, talvez por ter sido educada em Presburg, ela me apresentava alguns daqueles escritos místicos que geralmente são considerados meras escórias da literatura alemã primitiva. Esses escritos – não posso imaginar por que razão – constituíam os seus favoritos e constantes estudos e se, com o passar do tempo, eles se tornaram também os meus, devo atribuir tal efeito à singela e eficaz, influência do hábito e do exemplo.

Com tudo isso, se não me engano, minha razão pouco tinha a ver. Minhas convicções, ou me desconheço, de modo algum eram conformes a um ideal, nem se podia descobrir qualquer vestígio das coisas místicas que eu lia, a menos que esteja grandemente enganado nos meus atos ou nos meus pensamentos.

Persuadido disso, abandonei-me cegamente à orientação de minha esposa e penetrei de todo coração nas complexidades de seus estudos. E, então, quando, debruçado sobre as páginas proibidas, eu sentia um espírito maldito acendendo-se dentro de mim. Morella pousava a sua mão fria sobre a minha e retirava das cinzas de uma filosofia morta algumas palavras graves e singulares, cujo estranho significado incrustava-se em minha memória. E, depois, hora após hora, eu me demorava ao lado dela, na musicalidade de sua voz, até que, finalmente, aquela melodia ficava impregnada de terror, e uma sombra caía sobre minha alma, e eu empalidecia e estremecia intimamente de entremeio àquelas modulações imensamente sobrenaturais. Desta maneira, a alegria de repente se transformava em horror, e o mais belo se tornava o mais horrendo, como Hinnom se tornou Ge-Henna.

É desnecessário expressar o caráter exato dessas dissertações que, emergindo dos volumes que mencionei, formaram, por tanto tempo, quase o único tema de conversação entre Morella e eu. Os eruditos, versados naquilo que pode ser denominado moralidade teológica, facilmente o entenderiam, ao passo que os não sábios pouco teriam a assimilar e compreender. O selvagem panteísmo de Fichte; a paligenesia modificada dos Pitagóricos e, acima de tudo, as doutrinas da identidade, conforme defendidas por Schelling, eram geralmente os pontos de discussão que ofereciam maior beleza à imaginativa de Morella. Segundo o que define precisamente o Sr. Locke, essa identidade, chamada pessoal, consiste na permanência do ser racional. E como por pessoa entendemos uma essência inteligente, e como há sempre uma consciência dotada de razão, é a esta que chamamos de nós mesmos. E tal consciência nos distingue dos demais seres pensantes e nos confere uma identidade pessoal. Mas a noção dessa identidade, que na morte se perde ou não se perde para sempre, constituía, para mim, em todos os momentos, uma questão de intenso interesse, não somente pela natureza perplexa e excitante de suas consequências, mas, também, pela maneira marcante e frenética com que Morella discorria sobre o assunto.

Chegou um momento em que o mistério da personalidade de minha esposa passou a oprimir-me como um feitiço. Eu não aguentava mais o toque de seus dedos pálidos, nem a modulação profunda de sua linguagem musical, nem o brilho de seus olhos melancólicos. E ela sabia de tudo isto, mas não me censurava; ela parecia consciente de minha fraqueza ou de minha loucura e, sorrindo, chamava-as de destino. Ela parecia, também, consciente da fonte, por mim desconhecida, do gradual arrefecimento de meu afeto; todavia, não me dava nenhuma explicação ou aludia à natureza daquela causa. No entanto, ela era apenas uma mulher e definhava a cada dia. Com o tempo, uma indelével mancha avermelhada fixou-se em sua face e as veias azuis, em sua fronte, fizeram-se salientes. Chegou um momento em que o meu

espírito pusera-se a desfazer-se em compaixão; mas, em seguida, quando eu vislumbrava o seu olhar repleto de pensamentos, a piedade convertia-se em mal-estar.

Devo, então, afirmar que eu aguardava, intensa e fervorosamente, o momento da morte de Morella? Assim o era. Mas seu frágil espírito agarrara-se àquele invólucro de barro por muitos dias, por muitas semanas e meses cansativos, até que meus nervos torturados exerceram o domínio sobre a razão. Fiquei furioso com tal adiamento e, com o coração de um demônio, amaldiçoei os dias, as horas e os momentos amargos que pareciam se alongar, cada vez mais, à medida que sua nobre vida declinava, como sombras minguando ao ocaso.

Em uma noite de outono em que os ventos serenavam no céu, Morella chamou-me à cabeceira. Havia uma névoa sobre toda a terra e um calor resplandecente sobre as águas. Parecia que um arco-íris, caído do firmamento fulgurava entre as ricas folhagens de outubro da floresta. Quando eu me aproximei, ela disse:

– Este é o dia entre os dias. Um dia, entre todos os dias, para viver ou morrer! É um belo dia para os filhos da Terra e da vida, Ainda mais belo para as filhas do Céu e da morte!

Beijei-lhe a fronte e ela continuou:

– Estou morrendo, mas viverei.

– Morella!

– Nunca houve dias em que tu pudeste me amar; mas àquela com quem em vida te enfadaste, na morte deverás adorar.

– Morella!

– Repito que estou morrendo. Mas dentro de mim há uma recordação daquele afeto. Ah, quão pouco afeto, que sentiste por mim, por Morella. E quando meu espírito partir, a criança viverá: teu filho e meu, o filho de Morella. Mas os teus dias serão dias de tristeza, aquela tristeza que é o mais duradouro dos sentimentos, como o cipreste é a mais duradoura das árvores. Pois as horas de tua felicidade acabaram, e não se colhe a alegria duas vezes na vida, assim como não se colhem as rosas de Paestum duas vezes no ano. Não mais jogarás com o tempo o jogo do homem de Teos; mas, sendo tu ignorante da murta e da videira, carregarás contigo tua mortalha na terra, como faz em Meca um muçulmano.

– Morella! – gritei – Morella, como sabes disso?

Mas ela virou o rosto sobre o travesseiro e um leve tremor percorreu seus membros. Ela morreu, e eu não mais ouvi a sua voz.

No entanto, tal como ela havia predito, seu rebento, o rebento que, ao morrer, ela dera à luz, e que não começou a respirar até que a mãe deixasse de fazê-lo, nasceu. Era uma menina. E ela cresceu insolitamente; estranhamente evoluiu em intelecto, e era a perfeita semelhança daquela que havia partido. Eu lhe devotei um amor mais fervoroso do que eu acreditava ser possível sentir por qualquer habitante da terra.

Mas, em pouco tempo, o céu dessa pura afeição entenebreceu, e a escuridão, o horror e a aflição varreram-na em nuvens. Já disse que a criança cresceu estranhamente em estatura e inteligência. Singular, de fato, foi seu rápido aumento no tamanho corporal, mas terríveis. Oh, terríveis eram os pensamentos tumultuosos que se apoderavam de mim enquanto eu lhe observava o desenvolvimento intelectual. Poderia ser de outra forma, se eu descobria, dia a dia, nas concepções da criança, a potência e faculdades adultas da mulher? Se as lições da experiência se desprendiam dos seus lábios de criança? Se eu via, a cada hora, a sabedoria ou as paixões da maturidade reluzindo em seu amplo e especulativo olhar? Como digo, tudo isso se tornou tão evidente para meus sentidos apavorados que eu não pude mais escondê-lo de minha alma e, menos ainda, furtá-lo à minha percepção estarrecida. Assim, como seria possível estranhar que uma suspeita de natureza assustadora e excitante se insinuasse em meu espírito, ou que os meus pensamentos se voltassem, espantados, para os contos selvagens e as emocionantes teorias da sepultada Morella? Arranquei à curiosidade do mundo um ser que o destino me compeliu a adorar e, no rigoroso isolamento de meu lar, observei, com atroz ansiedade, tudo o que dizia respeito à minha amada criatura.

Conforme os anos se passavam, eu contemplava, dia após dia, o seu rosto santo, suave e eloquente, e a via crescer. Descobri, então, novos pontos de semelhança entre a criança e sua mãe, entre a criança melancólica e a morta. E, cada vez mais, essa nuvem de semelhança se tornava mais espessa e completa, mais definida, mais inquietante e assustadoramente terrível em todos os seus aspectos. Que o sorriso da menina fosse como o da mãe, eu podia suportar, mas prontamente aquela perfeita identidade me fazia estremecer. Que seus olhos fossem iguais aos de Morella, eu também suportaria. Eles mergulhavam, frequentemente, nas profundezas de minha alma com o intenso e desconcertante pensamento da própria Morella. E no contorno de sua fronte alta, nos cachos de seus cabelos sedosos, nos dedos pálidos que ela enterrava nas madeixas, na triste entonação melódica de sua voz e, acima de tudo, oh, acima de tudo, nas frases e expressões da mulher morta sobre os lábios da minha amada. Da viva, alimentava-se o terrível pensamento devorador, o verme que se recusava a morrer.

Assim se passaram dois lustros de sua vida, e a minha filha permanecia sem nome sobre a terra. "Minha filha" e "meu amor" eram as designações geralmente provocadas pela minha afeição de pai, e a rígida reclusão de sua existência impedia todas as outras. O nome de Morella havia morrido com ela. Nunca falei da mãe à filha; era impossível falar. Na verdade, durante o breve período de sua existência, a criança não recebera quaisquer impressões do mundo exterior, exceto as que poderiam ser proporcionadas pelos estreitos limites de sua privacidade.

Mas, finalmente, a cerimônia do batismo apresentou-se ao meu espírito, naquele estado de nervosismo e agitação, como a iminente libertação dos terrores de meu destino. E, na pia batismal, hesitei na escolha de nome. E vários nomes que evocavam sabedoria e beleza, dos tempos antigos e modernos, de minha própria terra e de terras estrangeiras, cumularam-se em meus lábios, assim como muitos outros que inspiravam a nobreza, a felicidade e a bonomia. O que me levou, então, a perturbar a memória da morta enterrada? Que demônio me incitou a suspirar aquele nome, cuja tão só lembrança fazia refluir o meu sangue em torrentes, das têmporas ao coração? Que demônio falou do fundo de minha alma, quando em meio àqueles corredores sombrios e no silêncio da noite, sussurrei aos ouvidos do homem santo as sílabas "Morella"? Que ente mais que demoníaco retorceu as feições de minha filha, e as cobriu com tons da morte quando, estremecendo àquele nome quase inaudível, ela voltou seus límpidos olhos para o céu, e, caindo prostrada sobre as negras lousas de nossa cripta ancestral, respondeu:

– Eis-me aqui!

Estas simples e breves palavras caíram, calma e friamente distintas, em meus ouvidos, e dali, como chumbo derretido, escorreram, sibilando, por meu cérebro adentro. Os anos podem passar, mas as lembranças daquele dia, jamais! Certamente, eu não ignorava as flores e a videira; mas o abeto e o cipreste lançaram as suas sombras sobre mim noite e dia. Perdi a noção de tempo e lugar, e as estrelas de meu destino desvaneceram no céu; desde então, a terra entenebreceu e as suas figuras passavam por mim como sombras esvoaçantes, e, dentre todas, eu só enxergava uma: Morella! Os ventos do firmamento suspiravam apenas um nome em meus ouvidos, e as ondas do mar murmuravam eternamente: Morella! Mas ela morreu; e, com minhas próprias mãos, levei-a ao sepulcro; e ri com um riso amargo e prolongado quando não descobri, na cripta em que sepultei a segunda, quaisquer vestígios da primeira Morella.

SILÊNCIO

Silence, 1832

Pousando a mão sobre a minha cabeça, o demônio disse:
– Escuta! O país de que lhe falo é um país lúgubre, na Líbia, às margens do rio Zaire. E ali não há repouso nem silêncio. As águas do rio, amarelas e insalubres, não correm para o mar, mas palpitam sempre sob o olhar ardente do Sol, com um movimento convulsivo. De cada lado do rio, sobre as margens lodosas, estende-se ao longe um deserto sombrio de gigantescos nenúfares,

que suspiram na solidão, erguendo para o céu os longos pescoços espectrais e meneando tristemente suas cabeças. E do meio deles sai um sussurro confuso, semelhante ao murmúrio de uma torrente subterrânea. E os nenúfares, voltados uns para os outros, suspiram na solidão.

E o seu império tem por limite uma floresta alta, cerrada, medonha! Lá, como as vagas em torno das híbridas, pequenos arbustos agitam-se sem repouso. Mas não há vento no céu! E as grandes árvores primitivas oscilam continuamente, com um estrondo enorme. E dos seus cumes elevados filtra, gota a gota, um orvalho eterno. A seus pés contorcem-se num sono agitado, flores desconhecidas e venenosas. Por cima das suas cabeças, com um rugir retumbante, precipitam-se as nuvens negras a caminho do ocidente, até rolarem as cataratas para trás da muralha abrasada do horizonte. E nas margens do rio Zaire não há repouso nem silêncio.

Era noite e chovia. Enquanto caía, era água, mas quando chegava ao chão era sangue! E eu estava na planície lodosa, por entre os nenúfares, vendo a chuva que caía sobre mim. E os nenúfares voltados uns para os outros suspiram na solenidade da sua desolação.

A lua surgiu repentinamente através do nevoeiro fúnebre, toda avermelhada! O meu olhar caiu sobre um rochedo enorme, sombrio, que se erguia à margem do Zaire, refletindo a claridade da lua. Era um rochedo sombrio sinistro de uma altura descomunal! Sobre o seu cume estavam gravadas algumas letras. Caminhei através dos pântanos de nenúfares, até a margem para ler as letras gravadas na pedra; mas não pude decifrá-las. Ia voltar quando a lua brilhou mais viva e mais vermelha. Olhando outra vez para o rochedo distingui as letras: desolação.

Ergui os olhos. No alto do rochedo estava um homem de figura majestosa. Pendia-lhe dos ombros a antiga toga romana, cobrindo-se até aos pés. Os contornos da sua pessoa não se distinguiam, mas as feições eram as da divindade porque brilhavam através da escuridão da noite a do nevoeiro. Tinha a fronte alta e pensativa, os olhos profundos e melancólicos. Nas rugas do semblante, liam-se as legendas da desgraça e da fadiga o aborrecimento da humanidade e o amor da solidão. Escondi-me no meio dos nenúfares para ver o que aquele homem fazia ali.

E o homem se acomodou no rochedo, deixou pender a cabeça sobre a mão e espraiou a vista pelo lugar, contemplou os arbustos buliçosos e as grandes árvores primitivas. Depois, ergueu os olhos para o céu a para a lua avermelhada. Eu observava as ações do homem escondido no meio dos nenúfares e o homem tremia na solidão. Todavia a noite avançava e ele continuava no rochedo.

Depois, o homem desviou os olhos do céu para o rio lúgubre contemplando as águas amarelas do Zaire, e para as legiões sinistras dos nenúfares. Ouviu os suspiros melancólicos e as oscilações murmurantes E eu o espreitava sempre, do meu esconderijo e o homem tremia na solidão. Todavia a noite avançava e ele continuava no rochedo.

Embrenhei-me nas profundezas longínquas do pântano, caminhei sobre e as flores dos nenúfares e chamei os hipopótamos que habitavam a espessura do bosque. E os hipopótamos ouviram o meu chamado e vieram até o pé do rochedo e soltaram um rugido medonho. E eu, escondido por entre os nenúfares, espreitava os movimentos do homem e o homem tremia na solidão. Todavia a noite avançava e ele continuava sobre o rochedo.

Então invoquei os elementos da natureza, e uma tempestade horrorosa se formou. O céu tornou-se lívido pela violência da tempestade e a chuva caía em torrente sobre a cabeça do homem e as ondas do rio transbordavam e o rio espumava enfurecido e os nenúfares suspiravam com mais força, e a floresta debatia-se com o vento, e o trovão ribombava e os raios flamejavam, e o rochedo estremecia.

Amaldiçoei a tempestade, o rio e os nenúfares, o vento e a floresta, o céu e o trovão. E na minha maldição os elementos emudeceram e a lua parou na sua carreira, e o trovão expirou e o raio deixou de faiscar, e as nuvens ficaram imóveis e as águas tornaram a repousar no seu imenso leito, e as árvores cessaram de se agitar, e os nenúfares não suspiraram mais. Na floresta não se tornou a ouvir o mínimo murmúrio, nem a sombra de um som no vasto deserto sem limites. Olhei para os caracteres escritos no rochedo que diziam agora: silêncio.

Voltei outra vez os olhos para o homem, e o seu rosto estava pálido de terror. De repente, levantou a cabeça, ergueu-se sobre o rochedo e pôs o ouvido à escuta. Mas não se ouviu nem uma voz no deserto ilimitado. E os caracteres gravados no rochedo diziam sempre: silêncio. E o homem estremeceu e fugiu e para tão longe que jamais o tornei a ver.

Os livros dos magos, os melancólicos livros dos magos encerram belos contos, esplêndidas histórias do céu, da terra e do mar poderosos; dos gênios que têm reinado sobre a terra, sobre o mar e sobre o céu sublime. Há muita ciência na palavra das sibilas. E das florestas sombrias de Dodona saíam outrora oráculos profundos.

Entretanto, jamais se ouviu uma fábula tão espantosa como esta! Foi o demônio quem me contou, assentado ao lado, na solidão do túmulo. Quando acabou de falar, desatou a rir e como não pudesse rir com ele, amaldiçoou-me. Então o lince, que vive no túmulo por toda a eternidade, saiu do seu esconderijo e veio deitar-se aos pés do demônio, olhando-o fixamente nas pupilas.

ELEONORA

Eleonora, 1841

A alma é salva pela conservação da forma específica.
– Raimond Lully

Sou de uma raça que se destaca pelo vigor da fantasia e pelo ardor da paixão. Os homens chamaram-me de louco. Mas ainda não se sabe se a loucura é ou não a suprema inteligência; talvez muito do que é glorioso, tudo o que é profundo possa ter a sua origem numa doença do pensamento, em modalidades do espírito exaltadas à custa das faculdades gerais. Aqueles que sonham de dia sabem muitas coisas que escapam a aqueles que somente sonham à noite. Nas suas vagas visões obtêm relances de eternidade, e, quando despertam, estremecem ao verem que estiveram à beira do grande segredo. Penetram, sem leme nem bússola, no vasto oceano da luz inefável; e de novo, como nas aventuras do geógrafo núbio, *aggressi sunt mare tenebrarum, quid in eo esset exploraturi (Eles se aventuraram no mar de escuridão, a fim de explorar o que ele pode conter).*

Diremos, então, que estou louco. Concordo, pelo menos, em que há dois estados distintos da minha existência mental: o estado de uma razão lúcida, que não pode ser contestada, e pertencente à memória de acontecimentos que constituem a primeira época da minha vida; e um estado de sombra e dúvida, que abrange o presente e a recordação do que constitui a segunda grande era do meu ser. Por consequência, acredite em tudo o que eu disser do primeiro período da minha existência; e dê ao que eu vier a contar dos derradeiros tempos o crédito que se afigurar justo; ou coloque-o completamente em dúvida; ou, se não puder duvidar, faça-se de Édipo e procure decifrar o seu enigma.

Aquela que na minha mocidade eu amei, e de quem agora, serena e lucidamente, estou traçando estas recordações, era a filha única da única irmã de minha mãe falecida. Minha prima se chamava Eleonora. Sempre vivemos juntos, sob um sol tropical, no vale de Many-Coloured Grass. Jamais viajante algum aventurou seus passos por aquele vale; pois estendia-se por entre uma cadeia de montes gigantescos, que sobre ele debruçavam as suas escarpas, vedando o acesso dos raios solares aos seus mais aprazíveis recônditos. Nas suas proximidades atalho algum jamais fora trilhado, e, para chegarmos ao nosso ditoso lar, não precisávamos de afastar, com força, a folhagem de milhares de árvores florestais, nem de esmagar milhões de fragrantes flores. Assim vivíamos nós sozinhos, nada sabendo do mundo para além do vale: eu, minha prima e sua mãe.

Das obscuras regiões de além dos montes, no extremo superior dos nossos domínios, descia um estreito e profundo rio, que excedia em brilho e limpidez tudo menos os claros olhos de Eleonora; e, serpeando furtivamente em intrincados meandros, embrenhava-se por fim através de uma sombria garganta, por entre montes ainda mais negros do que aqueles de que brotara. Denominávamo-lo o Rio do Silêncio, pois as suas águas pareciam ter a faculdade de tudo emudecer. Do seu leito nenhum murmúrio se erguia, e tão de mansinho ia desfiando o seu curso que os diáfanos seixinhos que esmaltavam o fundo e que nós tanto gostávamos de contemplar, permaneciam absolutamente imóveis, refulgindo eternamente no velho sítio onde estavam.

A margem do rio e de muitos cintilantes riachos que, por tortuosos rodeios, a ele afluíam, bem como os espaços que das margens desciam até o leito de seixos do fundo das águas – todos estes lugares, não menos do que toda a superfície do vale, desde o rio até as montanhas que o circundavam, eram tapetados por uma relva verde, macia, espessa, curta, perfeitamente lisa e perfumada a baunilha, mas tão profusamente matizada com botões de ouro, margaridas, violetas e asfódelos, que a sua extraordinária beleza falava aos nossos corações, com eloquência e paixão, do amor e da glória de Deus.

E, aqui e além, em maciços que se diriam antes matas de sonhos, brotavam fantásticas árvores, cujos altos e esguios troncos se não erguiam a prumo, mas, torcendo-se, inclinavam-se para a luz que ao meio dia irrompia pelo centro do vale. A sua casca apresentava ao mesmo tempo o esplendor do marfim e da prata e era mais macia do que tudo menos as macias faces de Eleonora; de sorte que, se não fora o verde brilhante das enormes folhas que das suas copas se alastravam em linhas compridas e trêmulas, embaladas pelos zéfiros, poderia alguém imaginá-las gigantescas serpentes da Síria prestando homenagem ao seu Soberano, o Sol.

De mãos dadas, durante quinze anos, vagueei eu com Eleonora por este vale, antes de o amor penetrar em nossos corações. Era uma tarde, ao cerrar-se o terceiro lustro da sua vida e o quarto da minha: nós estávamos sentados, abraçados um no outro, debaixo das árvores-serpentes e contemplávamos as nossas imagens refletidas no espelho das águas do Rio do Silêncio. Nem mais uma palavra pronunciamos durante o resto daquele doce dia, e na manhã seguinte ainda as nossas palavras eram trêmulas e raras. Do fundo das águas havíamos tirado o deus Eros, e agora sentíamos que havíamos ateado dentro de nós as almas ardorosas dos nossos maiores. As paixões que durante séculos haviam caracterizado a nossa raça acudiam agora de tropel com as fantasias que os haviam igualmente distinguido e bafejavam venturas e bênçãos sobre o vale de Many-Coloured Grass. Tudo como por encanto mudou. Sobre as árvores onde jamais se conhecera uma flor desabrocharam agora estranhas flores em forma de estrela. Tornaram-se mais carregados os tons das alfombras de verdura; e quando, uma a uma, murcharam as brancas margaridas, surgiram, em seu lugar, dez a dez, os asfódelos da cor dos rubis. E a vida brotava nos nossos atalhos; pois o alto flamingo, até aqui nunca visto, com ostentava ante nós a sua plumagem escarlate. Peixes de ouro e de prata acorriam agora ao rio, de cujo seio se erguia, de mansinho, um murmúrio que, por fim, foi engrossando até se transformar numa suave melodia mais divina do que a da harpa de Éolo, mais doce do que tudo menos a voz de Eleonora. E agora, também uma enorme nuvem, que por muito tempo dominara as regiões do Hesper, avançara num deslumbramento de carmesim e ouro e viera pairar serenamente sobre nós, descendo dia a dia até pousar sobre os cumes dos montes, transfigurando-os com o seu glorioso esplendor, e encerrando-nos, como que para todo o sempre, dentro de uma mágica prisão de magnificência e glória.

O encanto de Eleonora era o de um Serafim; mas ela era uma garota ingênua e simples como a curta vida que vivera entre as flores. Nenhum artifício mascarava o amor que ardia no coração, e ela examinava comigo os seus mais íntimos recantos , quando juntos passeávamos no vale de Many-Coloured Grass e conversávamos sobre as notáveis transformações que nele haviam ocorrido ultimamente. .

Falou um dia , banhada em pranto, da triste e derradeira transformação que a Humanidade deve sofrer, nunca mais deixou de discutir este doloroso assunto, intercalando-o em todas as nossas conversas, como nos cantos do poeta Schiraz estão constantemente ocorrendo as mesmas imagens, a cada passo repetidas em cada impressionante variação de frase.

Ela tinha visto que o dedo da Morte se cravara no seio – que, como o efémero, ela fora feita perfeita em encanto e beleza somente para morrer; mas para ela os terrores do túmulo apenas consistiam numa apreensão, que uma tarde, ao crepúsculo, ela me revelou passeando comigo pelas margens do Rio do Silêncio . O que a penalizava era pensar que, após havê-la sepultado no vale de Many-Coloured Grass, eu abandonaria para sempre aquelas ditosas paragens, transferindo o amor, que só dela tão apaixonadamente agora era para alguma garota do mundo exterior e banal. E, então, ao ouvir-lhe exprimir este pesar, atirei-me aos pés de Eleonora e jurei-lhe que nunca me ligaria pelo casamento a filha alguma da Terra – que jamais eu, fosse de que maneira fosse, trairia a sua querida recordação ou a recordação do devotado afcto que tamanha ventura trouxera à minha vida. Invoquei o omnipotente Senhor do Universo como testemunha da pia solenidade do meu juramento. E a maldição que de Deus e dela impetrei, no caso de eu atraiçoar o meu juramento, envolvia uma pena cujo extraordinário horror não me permite referi-la aqui.

Os claros olhos de Eleonora tornaram-se mais claros, quando eu assim exprimi o carinho que a prendia à minha vida; suspirou, como se do peito lhe arrancaram um peso mortal; tremeu e chorou amargamente; mas (que era ela senão uma criança?) aceitou o juramento, que lhe tornava mais macio o leito da morte. E disse-me, não muitos dias depois, finando-se tranquilamente, que, em vista do que eu fizera para alívio e consolo do seu espírito, velaria sempre por mim depois de morta, e, se tal lhe fosse permitido, voltaria visivelmente a me visitar nas vigílias da noite; se, porém, isto ultrapassasse o que às almas no Paraíso é permitido, me daria pelo menos, frequentes indicações da sua presença, suspirando sobre mim nos ventos da tarde ou enchendo o ar que eu respirasse com o perfume dos turíbulos dos anjos. E, com estas palavras nos lábios, exalou a sua inocente vida, pondo termo à primeira época da minha.

Até aqui é fiel o relato que fiz. Mas, quando transponho a barreira formada pela morte da minha amada e penetro na segunda era da minha existência, sinto uma sombra empolgar-me o cérebro e não confio na perfeita sanidade das minhas palavras. Mas prossigamos.

Os anos foram-se arrastando pesadamente e eu continuei habitando no vale de Many-Coloured Grass; – mas uma segunda transformação se operara em todas as coisas. As flores estreladas secaram nas árvores e não mais reapareceram. Apagaram-se os matizes do verde tapete de relva; e, um a um, murcharam os rubros asfódelos e, em seu lugar, surgiram, dez a dez, escuras violetas contorcidas e sempre carregadas de orvalho.

A vida desapareceu dos nossos atalhos; o alto flamingo já não exibia ante nós a sua plumagem escarlate, mas tristemente fugiu do vale para os montes com todas as aves multicores que em sua companhia haviam vindo. Os peixes de ouro e de prata nunca mais esmaltaram o nosso doce rio. A suave melodia que encantara mais do que a harpa de Éolo e fora mais divina do que tudo menos a voz de Eleonora, foi-se pouco a pouco extinguindo, sumindo-se em murmúrios cada vez mais débeis, até que, por fim, o rio voltou à solenidade do seu primitivo silêncio. E então surgiu de novo a enorme nuvem, e, abandonando os píncaros dos montes à sua antiga tristeza, recuou para as regiões do Hesper, e consigo levou todo o áureo esplendor e todas as radiosas magnificências que por alguns anos transfiguraram o vale de Many-Coloured Grass.

Todavia, as promessas de Eleonora não ficaram no olvido; pois eu ouvia os sons dos turíbulos dos anjos; correntes de um sagrado perfume flutuavam permanentemente sobre o vale; nas horas ermas, quando o meu coração palpitava pesadamente, os ventos que me refrescavam a fronte vinham carregados de brandos suspiros; indistintos murmúrios enchiam muitas vezes o ar da noite; e uma vez – oh, mas só uma vez! Eu fui despertado de um sono, que se me afigurava o sono da morte, pela pressão duns lábios espirituais sobre os meus.

Mas o vácuo dentro do meu coração recusava-se, ainda assim, a ser preenchido. Tinha saudades do amor que o enchera.. Por fim o vale fazia-me sofrer pelas recordações de Eleonora, e abandonei-o então para sempre, trocando-o pelas vaidades e pelos turbulentos triunfos do mundo.

***

Encontrei-me dentro de uma estranha cidade, onde todas as coisas poderiam ter servido para me apagarem a lembrança os doces sonhos que por tanto tempo sonhara no vale de Many-Coloured Grass. O luxo e a pompa de uma corte majestosa, o doido barulho das armas e a radiosa beleza das mulheres desvairaram-me e embriagaram-me o cérebro. Até aqui, porém, ainda a minha alma permanecera fiel aos meus juramentos, e nas horas silentes da noite ainda até mim chegavam as revelações da presença de Eleonora.

De repente cessaram estas manifestações e o mundo escureceu de todo ante os meus olhos. E eu fiquei espavorido ante o escaldante pensamento que me possuía, ante as terríveis tentações que me empolgavam, pois de muito longe, de uma terra distante e ignota, viera para a alegre corte do rei que eu servia, uma menina a cuja beleza todo o meu perjuro coração imediatamente se rendeu, em cujos pés me curvei sem uma luta, no mais ardente, no mais abjeto culto de amor.

O que significava a minha paixão pela garotinha do vale comparada com o fervor e o delírio, o alucinado êxtase de adoração com que eu depunha toda a minha alma em pranto aos pés da etérea Hermengarda? Oh, que deslumbrante era a angélica Hermengarda! E na minha alma para ninguém mais havia lugar. Oh, que divina era a celestial Hermengarda! E quando eu sondava as profundezas dos seus olhos inolvidáveis, só neles pensava. Só neles e nela!

Eu me casei. Não receei a maldição que invocara, nem senti o amargor de haver infringido um juramento solene.

Mas uma vez, no silêncio da noite, chegaram até mim, através das minhas persianas, os brandos suspiros que havia muito eu já não ouvia; e, numa voz familiar e doce, percebi estas palavras que jamais esquecerei:

– Dorme em paz! O espírito do amor reina e governa, e, acolhendo no teu apaixonado coração aquela que se chama Hermengarda, tu és absolvido, por motivos que só no céu te serão explicados, dos juramentos que fizeste a Eleonora!

O CORAÇÃO DELATOR

The Tell-Tale Heart, 1843

É verdade! Estou nervoso, terrivelmente nervoso, sempre o fui. Mas por que acha que estou louco? A doença aguçou os meus sentidos, não os destruiu, não os entorpeceu. Acima de tudo o meu ouvido tornou-se extremamente aguçado. Ouvi todas as coisas do céu e da terra. Ouvi muitas das coisas do inferno. Como posso, então, estar louco? Preste atenção! E repare com que saúde, com que calma lhe posso contar toda a história.

É difícil dizer como a ideia me ocorreu pela primeira vez; mas mal a concebi, perseguiu-me dia e noite. Objeto não tinha. Paixão não havia também. Eu amava o velho. Ele nunca me fizera mal. Nunca me insultara. Não desejava o seu ouro. Acho que era o olho dele. Sim, era isso! Um dos seus olhos parecia-se com o de um abutre – um olho azul, pálido, velado. Cada vez que esse olho se pousava em mim o meu sangue gelava; e assim, pouco a pouco, gradualmente, resolvi arrancar a vida do velho e desse modo livrar-me do olho para sempre.

E agora, pronto! Pensa que estou louco. Os loucos não sabem nada.

Mas devia ter-me visto. Devia ter visto com que cautela agi, com que precaução, com quanta dissimulação meti mãos à obra! Nunca me mostrei mais bondoso para com o velho que durante toda aquela semana que antecedeu o assassinato. E todas as noites, pela meia-noite, girava o botão da porta do seu quarto e a abria. Oh! Tão devagarinho! E então, tendo aberto o suficiente para meter a cabeça, introduzia uma lanterna furta-fogo e fechava bem para que nenhuma luz filtrasse; e depois enfiava a cabeça. Ah!, você riria se visse com que cautela enfiava a cabeça. Movia-a lentamente – muito, muito lentamente para não perturbar o sono do velho.

Levava uma hora a enfiar toda a cabeça pela abertura até conseguir vê-lo deitado na cama. Ah! Teria um louco sido assim tão sensato? E então, quando a minha cabeça estava bem dentro do quarto, destapava com cuidado a lanterna – oh!, com tanto cuidado – tão cuidadosamente (porque as dobradiças chiavam) –, destapava-a o suficiente para que um único raio incidisse sobre o olho de abutre. E isto eu fiz durante sete longas noites – todas as noites à meia-noite exata; mas o olho estava sempre fechado; e assim era impossível cumprir a tarefa; porque não era o velho que me humilhava, mas o seu olho mau, E todas as manhãs, quando o dia rompia, entrava ousadamente no seu quarto e corajosamente falava com ele, chamando-o pelo nome numa voz amigável e informando-me como passara a noite. Teria de ser um velho muito esperto para suspeitar que todas as noites, à meia-noite em ponto, eu o vigiava enquanto dormia.

Na oitava noite fui ainda mais cuidadoso para abrir a porta. O ponteiro pequeno de um relógio avança mais depressa do que avançava a minha mão. Nunca antes dessa noite sentira eu a imensidão dos meus poderes, da minha sagacidade. Mal podia conter a minha sensação de triunfo. Pensar que ali estava eu, abrindo a porta a pouco e pouco, e que ele nem sequer sonhava os meus atos ou os meus pensamentos secretos. Escapou-me uma risadinha; e talvez ele me tivesse ouvido; porque subitamente se mexeu na cama como sobressaltado. Agora talvez pense que me retirei. Mas não. O quarto estava escuro como breu (pois as persianas estavam completamente fechadas por medo aos ladrões), e sabendo que ele não podia ver a abertura da porta, fui-a empurrando cada vez mais, cada vez mais.

Já havia enfiado a cabeça e preparava-me para destapar a lanterna quando o meu polegar escorregou na superfície de lata e o velho saltou na cama, gritando: "Quem está aí?"

Fiquei completamente imóvel e não respondi.

Por uma hora inteira nem um só dos meus músculos se mexeu, e durante todo esse tempo não o ouvi deitar-se. Continuava sentado na cama, à escuta, tal como eu fizera noite após noite, atento aos relógios da morte na parede.

Escutei então um leve gemido e soube que era o gemido do pavor mortal. Não era um gemido de dor ou de pena – Oh, não! –, era o som abafado e surdo que brota das profundezas de uma alma que o terror domina. Era um som que eu conhecia bem. Muitas noites, à meia-noite exata, quando o mundo inteiro dormia, ele brotara do meu seio, aprofundando com o seu eco assustador os terrores que me assaltavam. Digo que o conhecia bem. Sabia o que o velho sentia e tinha pena dele, embora o meu coração se risse. Sabia que ele ficara acordado desde o primeiro barulhinho, quando se voltara na cama. E desde então o seu medo não deixara de aumentar. Tentara convencer-se de que não tinha razão de ser, mas não havia conseguido. Dissera para consigo: "Não é nada, é só o vento na chaminé, é só um rato atravessando o quarto – é simplesmente um grilo que cantou uma única nota". Sim, tentara confortar-se a si mesmo com estas suposições; mas tudo fora em vão. Tudo fora em vão; porque a Morte, ao aproximar-se, passara em frente dele com a sua longa e negra sombra, e com ela cobrira a sua vítima. E era a influência fúnebre da sombra imperceptível que o fazia sentir – embora não visse nem ouvisse –, a presença da minha cabeça dentro do quarto.

Depois de ter esperado muito tempo, cheio de paciência, sem que o ouvisse voltar a deitar-se, resolvi abrir uma pequena – muito, muito pequena – fresta na lanterna. Abria-a então – não imagina como a abri furtivamente, furtivamente –, até que finalmente um único raio pálido, fino como o fio da aranha, saltou da fresta e abateu-se sobre o olho de abutre.

Estava aberto – aberto, escancarado, e a fúria invadiu-me mal o vi.

Vi-o com uma nitidez perfeita – todo aquele azul baço, coberto com o véu horrível que me gelava até a medula dos meus ossos; mas não consegui ver mais nada do rosto ou do corpo do velho; porque, como que por instinto, apontara o raio de luz precisamente para o ponto maldito.

Lembra-se de eu ter dito que aquilo que tomou por loucura não é senão uma superacuidade dos sentidos? Ora bem, chegou-me então aos ouvidos um som baixo, rápido e abafado, como o de um relógio embrulhado em algodão. Também esse som eu conhecia. Era o bater do coração do velho. Aumentou a minha fúria como o rufar de um tambor estimula a coragem do soldado.

Mas continuei a dominar-me e fiquei muito quieto. Quase não respirava. Mantive a lanterna imóvel. Esforcei-me por não desviar a luz de sobre o olho. Entretanto o pulsar infernal do coração aumentava: cada vez mais rápido, cada vez mais alto. O terror do velho devia ser extremo! O pulsar, dizia, aumentava de minuto a minuto! Está me seguindo? Já lhe disse que sou nervoso – e de fato sou. E agora, naquela hora morta da noite, no meio do silêncio assustador daquela velha casa, aquele barulho tão estranho lançou-me num terror incontrolável. Consegui, no entanto, dominar-me durante mais alguns minutos e fiquei calmo. Mas o pulsar era cada vez mais alto, cada vez mais alto. Pensei que o coração ia rebentar. E então uma nova ansiedade se apoderou de mim – algum vizinho ia ouvir o barulho! A hora do velho tinha soado! Com um grande uivo abri subitamente a lanterna e precipitei-me para dentro do quarto. O velho deu um grito só um. Num segundo atirei-o ao chão e lancei sobre ele o peso enorme da cama. Sorri então alegremente, ao ver o meu trabalho já tão avançado.

Mas durante muitos minutos o coração continuou a bater com um som abafado. Contudo não me importei; ninguém podia ouvi-lo através da parede. Finalmente parou. O velho morrera. Levantei a cama e examinei o corpo. Estava morto, sim, rígido e morto. Pousei a mão sobre o coração e mantive-a aí vários minutos. Nenhuma pulsação. Estava rígido e morto. Nunca mais o olho me atormentaria.

Se ainda acha que estou louco, vai mudar de ideia quando lhe descrever as precauções que tomei para dissimular o cadáver. A noite avançava e eu trabalhei rapidamente, mas em silêncio. Primeiro desmembrei o corpo. Cortei a cabeça, e os braços, e as pernas.

Arranquei então três das pranchas do soalho e coloquei tudo entre os caibros. Voltei então a colocar as tábuas com tanto jeito e habilidade que nenhum olho humano – nem sequer o dele – conseguiria ver algo de estranho. Não precisei lavar nada – não havia qualquer nódoa nem sequer um pingo de sangue. Tivera muito cuidado. Uma bacia recolhera tudo – ah, ah!

Quando acabei todo este trabalho eram quatro horas – ainda estava escuro como à meia-noite. Quando o sino deu as horas, alguém bateu à porta da rua. Desci para abrir, de coração ligeiro – que tinha eu agora a temer? Entraram três homens que se apresentaram, com perfeita delicadeza, como oficiais da polícia. Um vizinho ouvira um grito durante a noite; levantara-se a suspeita de algum ato criminoso; fora feita uma denúncia ao quartel da polícia e eles (os oficiais) vinham para passar busca na casa.

Sorri – que tinha eu a temer? Dei-lhes as boas-vindas. O grito, disse, fora eu que o soltara em sonhos. O velho, acrescentei, andava em viagem. Acompanhei os visitantes por toda a casa. Disse-lhes que vissem tudo – que vissem bem.

Levei-os, finalmente, ao quarto dele. Mostrei-lhes os seus tesouros, perfeitamente seguros, perfeitamente em ordem. No entusiasmo da minha confiança, trouxe cadeiras para o quarto e convidei-os a repousar ali do seu cansaço enquanto eu próprio, com a louca audácia de um triunfo perfeito, instalava a minha cadeira sobre o preciso lugar sob o qual repousava o corpo da vítima.

Os policiais estavam satisfeitos. Os meus modos tinham-nos convencido. Sentia-me singularmente à vontade. Sentaram-se e falaram de coisas familiares, a que eu respondia alegremente. Mas passado algum tempo senti que empalidecia e desejei que se fossem embora. Doía-me a cabeça e parecia que os ouvidos me zumbiam: mas eles continuavam sentados a conversar. O zumbido tornou-se mais nítido – persistiu e tornou-se ainda mais nítido; falei mais e mais alto para me livrar da impressão, mas ela mantinha-se e era cada vez mais definida – até que finalmente descobri que o som não estava nos meus ouvidos.

Sem dúvida fiquei então muito pálido; mas falei mais fluentemente e em tom mais alto. Porém, o som aumentava – e que podia eu fazer? Era um som baixo, abafado e rápido – o som que faria um relógio quando embrulhado em algodão. Respirava com dificuldade – e os policiais não ouviam nada. Falei mais depressa, mais veementemente; mas o som aumentava regularmente. Levantei-me e pus-me a discutir sobre ninharias, numa voz aguda e com gestos violentos; mas o som aumentava. Por que é que eles não iam embora? Andei no quarto de um lado para o outro em passos largos e pesados, como se exasperado pelos comentários dos homens; mas o som aumentava regularmente. Oh, Deus! que podia eu fazer? Espumava – delirava – injuriava! Atirei com a cadeira em que estava sentado e arrastei-a sobre as tábuas; mas o som cobria tudo e aumentava continuamente.

Era cada vez mais forte, mais forte, mais forte! E os homens continuavam a conversar amavelmente e sorriam. Seria possível que não ouvissem? Deus todo-poderoso! Não, não! Ouviam! Suspeitavam! Sabiam! Estavam se divertindo com o meu terror! Foi o que pensei e é o que penso ainda. Mas tudo era melhor que esta agonia. Qualquer coisa era melhor que esta decisão. Não podia suportar mais aqueles sorrisos hipócritas! Senti que ia gritar ou morrer! E agora! Outra vez, ouça, lá está: mais forte, mais forte, mais forte, mais forte!

– Miseráveis! – gritei –, não finjam mais! Confesso! Arranquem essas pranchas! Aqui... aqui...! É o bater do seu horrendo coração!

A ILHA DA FADA

The Island of the Fay, 1841

A música – diz Marmontel naqueles "Contes Moraux" que os nossos tradutores persistem em chamar "Contos Moralistas", parecendo zombar do seu espírito – é o único dom que provoca prazer por si só; todos os outros exigem testemunhas. Ele confunde aqui o prazer de ouvir sons agradáveis com o dom de os criar. Do mesmo modo

que qualquer outro talento, a música não é capaz de dar um gozo completo se não houver uma segunda pessoa para apreciar a sua execução. E a faculdade de produzir efeitos que se gozem plenamente na solidão não lhe é particular; ela é comum a todos os outros dons. A ideia, que o contista não conseguiu conceber claramente, ou que, na sua expressão, sacrificou ao amor nacional do conceito é, sem dúvida, a ideia muito defensável de que a música do mais elevado estilo é a mais sentida quando estamos absolutamente sós. A proposição, sob esta forma, será admitida à primeira vista por aqueles que amam a lira por si mesma e pelas suas vantagens espirituais.

Mas há um prazer que está sempre ao alcance da humanidade decaída – e é talvez o único – que deve ainda mais que a música à sensação acessória do isolamento. Refiro-me à felicidade que se experimenta na contemplação de um quadro da natureza.

Na verdade, o homem que pretende contemplar de frente a glória de Deus na Terra deve contemplar essa glória na solidão. Para mim, pelo menos, a presença, não apenas da vida humana, mas da vida sob qualquer outra forma como a da dos seres verdejantes que crescem no solo e não têm voz, é um opróbrio para a paisagem; ela está em guerra com o gênio do cenário. Sim, na verdade, eu gosto de contemplar os vales sombrios, as rochas pardacentas, as águas que sorriem silenciosamente, as florestas que suspiram em sono ansioso, e as montanhas orgulhosas e vigilantes que olham tudo do alto. Gosto de contemplar essas coisas pelo que elas são: membros gigantescos de um imenso todo, animado e sensível – um todo cuja forma (a da esfera) é a mais perfeita e a mais compreensível de todas as formas; cuja rota se faz na companhia de outros planetas; cuja serva dócil é a Lua; cujo senhor mediatizado é o Sol; cuja vida é a eternidade; cujo pensamento é o de um Deus, a fruição do qual é conhecimento; cujos destinos se perdem na imensidade; para quem nós somos uma noção correspondente à noção que temos dos animálculos que infestam o cérebro – , um ser que nós olhamos, consequentemente, como inanimado e puramente material – apreciação muito semelhante à que esses animálculos devem fazer de nós.

Os nossos telescópios e as nossas investigações matemáticas confirmam totalmente – não obstante a hipocrisia dos padres mais ignorantes – que o espaço, e, por consequência, o volume, é uma consideração importante aos olhos do onipotente. Os círculos em que se movem as estrelas são os mais apropriados à evolução, sem conflito, do maior número de corpo possível. As formas desses corpos são exatamente escolhidas para conterem, sob uma dada superfície, a maior quantidade possível de matéria; e as próprias superfícies estão dispostas de forma a receberem uma população mais numerosa da que poderiam conter se essas mesmas superfícies estivessem dispostas de outro modo. E do fato de o espaço ser infinito nenhum argumento se pode tirar contra esta ideia: que o volume tem um valor aos olhos de Deus, pois para preencher esse espaço pode haver um infinito de matéria. E como vemos claramente que dotar a matéria de vitalidade é um princípio – e mesmo, até onde nos é dado julgar, o princípio capital nas operações da Divindade

O Gato Preto

–, será lógico supô-lo confinado na ordem da pequenez, onde ele nos revela diariamente, e excluí-lo das regiões do grandioso? Como nós descobrimos círculos nos círculos, sempre e sem fim – todos, porém, evoluindo à volta de um centro infinitamente distante, que é a Divindade –, não poderemos supor, analogicamente e da mesma maneira, a vida na vida, a menor na maior, e todas; no espírito divino? Em suma: nós erramos nesciamente por fatuidade, imaginando que o homem, nos seus destinos temporais ou futuros, é, perante o Universo, muito mais importante que o vasto lodo do vale que ele cultiva e que despreza, e a que recusa uma alma pela pouca profunda razão de que não a vê atuar.

Estes pensamentos e outros semelhantes deram sempre às minhas meditações, no meio das montanhas e das florestas, junto dos rios e do oceano, uma variação que as pessoas vulgares não deixarão de chamar de fantástica. Os meus passeios errantes no meio de quadros deste gênero têm sido numerosos, singularmente curiosos, muitas vezes solitários; e o interesse com que eu vagueei por mais de um vale profundo e sombrio, ou contemplei o céu de muitos lagos límpidos, era grandemente aumentado pela ideia de que vagueava só, de que contemplava sozinho. Um francês tagarela, aludindo à bem conhecida obra de Zimmermann, disse: "A solidão é uma bela coisa, mas é necessário alguém para nos dizer que a solidão é uma bela coisa." Como epigrama, é perfeito. Mas esse é necessário...

Tal necessidade é coisa que não existe.

Foi numa das minhas viagens solitárias, numa região longínqua – montanhas contornadas por montanhas, meandros de rios melancólicos, lagos sombrios adormecidos –, que encontrei um regatinho onde havia uma ilha. Cheguei ali subitamente no mês de junho, o mês da folhagem, e deitei-me no chão, sob os ramos de um arbusto odorífero que me era desconhecido, no intuito de repousar e, ao mesmo tempo, contemplar o quadro. Reconheci que só daquela maneira o poderia ver bem, tal era o seu ângulo de visão.

De todos os lados, exceto a oeste, onde o sol mergulharia dentro em pouco, se erguiam as muralhas verdejantes da floresta. O riozinho, que fazia um cotovelo brusco, e assim se furtava subitamente à vista, parecia não conseguir escapar da sua prisão; diria, porém, que ele era absorvido para leste pela densa verdura das árvores, e do lado oposto (assim me parecia, deitado e com o olhar voltado para o céu) caía no vale, sem transição e sem ruído, uma cascata maravilhosa de ouro e púrpura, provinda das fontes ocidentais do céu.

No meio do solitário regato uma pequena ilha circular repousava mais ou menos ao centro da estreita perspectiva que o meu olhar visionário abrangia. Estava magnificamente recoberta de tons verdejantes. A margem e a sua imagem de tal modo se fundiam. Que o todo parecia suspenso no ar.

A água transparente assemelhava-se tanto a um espelho que era quase impossível adivinhar em que ponto do talude de esmeralda começava o seu domínio de cristal.

A posição em que me encontrava permitia que eu abrangesse com um só olhar as duas extremidades, leste e este, da ilhota; e nos seus aspectos observei uma diferença singularmente nítida.

Do lado ocidental era tudo um radioso harém de belezas de jardim. Abrasado e avermelhado pelo olhar oblíquo do sol, sorria em todas as flores. A relva era curta, elástica, cheirosa e entremeada de belas cores. As árvores eram flexíveis, alegres, eretas, esbeltas e graciosas, orientais pela forma e pela folhagem, de casca polida, luzidia e versicolor. Circulava por toda a parte um sentimento profundo de vida e de alegria; e, embora do céu não soprasse a menor brisa, tudo, porém, parecia agitado por bandos de borboletas que poderiam tomar, nas suas fugas graciosas em ziguezague, como tulipas aladas.

O lado leste da ilha estava submerso na mais negra sombra. Pairava sobre todas as coisas uma tristeza fúnebre, mas cheia de calma e beleza. As árvores tinham uma cor escura, as suas formas e as suas atitudes eram lúgubres; torciam-se como espectros tristes e solenes, evocando ideias de irremediável desgosto e morte prematura. A relva revestia-se da cor carregada do cipreste, e das suas hastes pendiam languidamente as pontas. Erguiam-se, dispersos, vários montículos disformes, baixos, estreitos, não muito compridos, com o aspecto de túmulos, embora acima deles e à sua volta medrassem a arruda e o alecrim. A sombra das árvores tombava pesadamente na água e parecia ali sepultar-se, impregnando de trevas as profundezas do elemento. Persuadia-me de que cada sombra, à medida que o sol descia, se separava contrariada do tronco que lhe dera origem e era absorvida pelo regato, enquanto outras sombras nasciam a cada instante das árvores, tomando o lugar que pertencera às suas defuntas irmãs mais velhas.

Esta ideia, desde que se apoderou da imaginação, excitou-a fortemente e perdi-me logo em devaneios.

"Se houve jamais ilha encantada – dizia eu para comigo –, é esta, com toda a certeza. É o ponto de encontro de algumas graciosas fadas que sobreviveram à destruição da sua raça. E estes verdes túmulos serão os delas? Findarão elas a sua doce vida da mesma maneira que a humanidade? Ou não será, pelo contrário, a sua morte uma espécie de melancólico definhar? Entregarão elas a sua existência a Deus, pouco a pouco, exaurindo lentamente a sua substância até à morte, do mesmo modo que as árvores entregam as suas sombras uma após outra? Aquilo que a árvore que se exaure é para a água que lhe absorve a sombra, tornando-se mais negra com a presa que devora, não poderia a vida da fada ser o mesmo para a morte que a devora?"

Enquanto assim devaneava, com os olhos semicerrados, e o Sol descia rapidamente para o seu leito, e turbilhões giravam a toda a volta da ilha, levando no seu seio grandes e luminosas escamas brancas, soltas dos troncos dos sicômoros – escamas que uma imaginação viva poderia, graças às suas variadas posições na água, converter naquilo que mais lhe agradasse –, enquanto eu assim devaneava, pareceu-me ver o vulto de uma dessas fadas com que tinha sonhado destacar-se da parte luminosa e ocidental da ilha e avançar lentamente para as trevas. Mantinha-se ereta sobre uma canoa singularmente frágil, que ela movia com um remo fantástico. Enquanto esteve sob a influência dos últimos e belos raios do sol, a sua atitude parecia revelar alegria, mas, assim que passou à região das sombras, a tristeza mudou suas feições. Lentamente, foi deslizando, pouco a pouco, dando a volta à ilha, e reentrou na zona de luz.

"O circuito que a fada acaba de fazer – continuei eu, sempre a sonhar – é o ciclo de um breve ano da sua vida. Ela atravessou o seu inverno e o seu verão. Aproximou-se um ano da morte; eu bem vi que, quando ela entrava na obscuridade, a sua sombra se separava dela e era tragada pela água escura, tornando a sua negridão ainda mais profunda. "

E o barquinho apareceu de novo com a fada; de novo da luz para a escuridão, que se tornava mais densa de minuto a minuto, e novamente a sua sombra, destacando-se, caiu no ébano líquido e foi absorvida pelas trevas.

Várias vezes ela fez o circuito da ilha, enquanto o Sol se precipitava para o seu leito; e, de cada vez que ela emergia para a luz, mais tristeza havia na sua expressão e mais fraca, mais abatida e indistinta ela se mostrava; e de cada vez que passava à obscuridade, destacava-se dela um espectro mais escuro, que se submergia numa sombra mais profunda. Mas, por fim, quando o Sol desapareceu totalmente, a fada – a pobre inconsolável! – agora simples fantasma de si própria, entrou com o seu barco na região do rio de ébano, – e se jamais de lá saiu não posso dizer, pois as trevas tombaram sobre todas as coisas, e eu não tornei a ver a sua encantadora figura...

O HOMEM DA MULTIDÃO

The Man of the Crowd, 1840

Foi bem dito em certo livro alemão: "Er lässt sich nicht lesen" (ele não se permite ser lido.). Do mesmo modo há segredos que não se deixam revelar.

Quantos homens morrem nos seus leitos torcendo convulsivamente as mãos dos confessores fantasmagóricos, cravando neles olhos lastimáveis! Quantos morrem com o desespero na alma, convulsionados pelo horror dos mistérios que não querem ser revelados! Algumas vezes, ai! A consciência humana geme sob o peso de um horror tão fundo que só o túmulo pode aliviá-la desse fardo. Assim, a essência do crime não pode jamais ser explicada.

Não faz muito tempo, ao cair de uma tarde de outono, estava eu sentado junto à ampla janela abaulada do café D... em Londres. Convalescia então de uma doença de alguns meses, e à medida que ia recuperando as forças, estava com uma destas disposições felizes que são precisamente o contrário do aborrecimento; disposições em que a apetência moral está vivamente estimulada pela desaparição das cataratas que cobriam a visão espiritual; em que o espírito eletrizado ultrapassa tão prodigiosamente as suas faculdades ordinárias, que a ingênua e sedutora divisa de Leibnitz vence a retórica louca e fraca de Górgias. A simples ação de respirar era um gozo para mim; e mesmo de coisas muito plausíveis para desgosto a minha sensibilidade tirava um prazer positivo. Senti um interesse calmo, mas curioso por tudo. Durante a maior parte da tarde, com um cigarro na boca e um jornal sobre os joelhos, diverti-me ora a ver os anúncios, ora a observar a sociedade mista do salão, ora a olhar para a rua através dos vidros embaçados pelo fumo.

A rua do hotel D..., uma das principais artérias da cidade, estivera todo o dia cheia de gente. Com o cair da noite, a multidão aumentara ainda, de sorte que, ao acender dos revérberos, duas correntes de povo, espessas e contínuas, desfilavam por defronte da porta. Aquele oceano tumultuoso de cabeças humanas penetrava-me de uma emoção deliciosa e perfeitamente nova. Nunca me sentira numa situação semelhante àquela em que me achava nesse momento particular da noite. Por fim, deixei de prestar atenção ao que se passava no hotel; absorto na contemplação da cena exterior.

As minhas primeiras observações foram abstratas e gerais, olhando os transeuntes em massa e não os considerando senão na sua harmonia.. Depois, desci aos pormenores, e examinei, com um interesse minucioso, as inumeráveis variedades de figuras, de modas, de aspectos, de modos de andar, de rostos e de expressões fisionômicas...

A maioria dos que passavam tinha o ar decidido de quem vai em serviço e parecia não pensar senão em abrir caminho através da chusma. O seu aspecto era carrancudo e os olhos moviam-se nas órbitas com extraordinária vivacidade; os que eram empurrados por algum transeunte vizinho concertavam o traje e seguiam para diante, sem mostrar o menor sintoma de impaciência.

Outras pessoas, (uma classe ainda mais numerosa), vermelhas, inquietas nos seus movimentos, falavam consigo mesmos e gesticulavam, como que sentindo-se sós, pelo próprio fato da multidão inumerável que os cercava. Esses, quando alguém lhes impedia o caminho, deixavam logo de resmungar, mas re-

dobravam a gesticulação e, com um sorriso exagerado, esperavam a passagem da pessoa que lhes servia de obstáculo. Se os empurravam, cumprimentavam profusamente os empurradores e pareciam confusos. Nestas classes de homens, além das circunstâncias que acabo de notar, não havia nada de característico. Sua roupa pertencia a esta ordem que está exatamente definida pela palavra: decente. Eram, sem dúvida nenhuma, passeantes, procuradores, negociantes, fornecedores, agiotas, enfim o ordinário banal da sociedade; homens ociosos e homens ativamente ocupados de negócios pessoais, conduzindo-os sob a sua própria responsabilidade. Esta gente pouco mereceu da minha atenção.

O grupo dos funcionários de lojas saltava aos olhos. Distingui duas divisões notáveis. Havia os caixeiros das lojas de modas, moços empolados dentro dos seus fraques, com botas brilhantes, cabelo perfumado e ar petulante. Não fosse uma certa distinção de porte, não sei quê de rococó nas maneiras, que cheirava a metro e a paninho a léguas de distância, o gênero destes indivíduos pareceu-me a exata reprodução do que fora a perfeição do bom tom doze ou dezoito meses atrás. Quero dizer que apresentavam o resquício das graças da "pequena nobreza", e isto, na minha opinião, é a melhor definição desta classe.

Quanto aos primeiros caixeiros das casas sólidas, ou coroas firmes, era impossível confundi-los. Conheciam-se pelos seus trajes pretos ou escuros, de uma aparência confortável, pelas suas gravatas e coletes brancos, pelos sapatos largos e sólidos com meias grossas ou polainas. Tinham todos a cabeça um pouco calva e a orelha direita singularmente derrubada pelo hábito de trazer a pena. Observei também que tiravam e tornavam a pôr o chapéu com ambas as mãos e que traziam os relógios presos por cadeias de ouro, de um feitio sólido e antigo. A sua afetação era a respeitabilidade (não pode haver afetação mais honrosa).

Havia ainda bom número de indivíduos de aparência brilhante, que reconheci logo por pertencerem à raça dos batedores de carteiras de alta esfera, de que todas as cidades grandes estão infestadas. Estudei curiosamente esta espécie de "nobre" e pareceu-me incrível como chegam a passar por verdadeiros "cavalheiros", mesmo entre os próprios cavalheiros. A exageração dos punhos e o seu ar de franqueza excessiva deviam denunciá-los à primeira vista.

Os jogadores de profissão (descobri uma quantidade deles) davam para ser identificados logo. As suas vestes eram variadíssimas, desde a do perfeito proxeneta trapaceiro, de colete de veludo, gravata vistosa, corrente de chumbo dourado e botões de filigrana, até traje clerical escrupulosamente simples, incapaz de despertar a menor suspeita. Todos porém se distinguiam por uma cor baça e doentia, por uma obscuridade vaporosa do olhar, pela compressão e palidez dos lábios. Havia, ainda, outros dois sinais que me faziam logo adivinhá-los: um tom baixo e reservado na conversação, e uma disposição mais que ordinária a estender o dedo polegar, até formar um ângulo reto com os outros dedos.

Muitas vezes, na companhia destes larápios, vinham outros um pouco diferentes. Contudo, via-se que eram aves da mesma pena. Podemos defini-los assim: "cavalheiros" que vivem do seu espírito. Esta raça, para explorar o público, divide-se em dois batalhões: gênero dândi e gênero militar. Na primeira classe, os caracteres principais são: longos cabelos e sorrisos; na segunda, longos casacos e franzimentos de sobrolho.

Descendo a escala do que se chama "pequena nobreza", achei assuntos de meditação mais sombrios e profundos. Vi vendedores ambulantes judeus, com os olhos brilhantes de falcão, em fisionomias cujo rosto não era senão abjeta humildade. Mendigos de profissão fazendo cara feia para pedintes de melhor aparência, a quem só o desespero lançara nas sombras da noite para implorar a caridade.

Inválidos fraquíssimos, semelhantes a espetros, sobre os quais a morte havia já pousado mão segura, que coxeavam ou vacilavam através da chusma, erguendo para todos olhos suplicantes, como que em busca de alguma consolação fortuita, de alguma esperança perdida! Moças honestas, regressando de um labor prolongado a um lar sombrio, e tremendo, mais tristes que indignadas, diante das olhadelas dos atrevidos, cujo contato direto não podiam evitar. Prostitutas de todas as espécies e de todas as idades; a beleza incontestável no primor da sua feminilidade, fazendo lembrar a estátua de Luciano, cuja superfície era mármore de Paros e o interior cheio de imundície; a leprosa em andrajos, repelente e absolutamente decaída; a bruxa velha, rugosa, pintada, , carregada de joias, fazendo uma última tentativa para a mocidade; a criança pura, apenas formada, mas já experiente, por uma longa camaradagem nas monstruosas provocações do seu comércio e ardendo em desejos de ser classificada ao nível das suas primogenituras no vício. Bêbados inumeráveis e indescritíveis: estes esfarrapados, cambaleantes, desarticulados, com o rosto pisado e os olhos turvos; aqueles com os trajes inteiros ainda, porém sujos, uma arrogância irresoluta no olhar, lábios grossos e sensuais, rostos rubicundos e sinceros; outros, vestidos de pano, que noutro tempo havia sido bom e ainda agora escrupulosamente escovado: alguns caminhando com passo firme e mais largo que o natural, mas cujas fisionomias eram terrivelmente pálidas, os olhos atrozmente espantados e vermelhos e que, no seu andar extravagante através da multidão, agarravam com dedos trêmulos todos os objetos que se achavam ao seu alcance. Depois vinham os pasteleiros, os mensageiros, os carvoeiros, os limpa-chaminés com os tocadores de órgão, os saltimbancos, os trovadores ambulantes. Enfim os artistas maltrapilhos e os operários de todas as espécies, esgotados pelo trabalho. E toda aquela turba ia com uma atividade ruidosa e desordenada cujas discordâncias mortificavam o ouvido e produziam nos olhos uma sensação dolorosa.

Conforme a noite se aprofundava, aprofundava-se também o meu interesse pela cena; porque não só se ia alterando o caráter geral da chusma (as suas feições mais nobres desvanecendo-se com a retirada gradual da melhor parte da povoação, e realçando-se as mais grosseiras à medida que o adiantamento da hora tirava da toca novas espécies de infâmia), mas os raios dos bicos de gás, fracos primeiro, enquanto lutavam com o crepúsculo da tarde, tinham agora vencido a escuridão e derramavam sobre todos os objetos uma luz brilhante e agitada. Tudo era negro, mas resplandecente, como aquele ébano com o qual comparavam o estilo de Tertuliano.

Os estranhos efeitos da luz obrigaram-me a reparar nas fisionomias dos indivíduos; e posto que a rapidez com que aquela multidão fugia diante da janela não me permitisse lançar sobre cada rosto senão uma vista de olhos, parecia-me, contudo, que, graças à minha singular disposição moral, podia ler, muitas vezes, no breve intervalo de um olhar, a história de longos anos.

Com o rosto encostado nos vidros, ocupava-me assim em examinar a multidão, quando descobri, de repente, uma fisionomia (a de um velho decrépito, de sessenta e cinco a setenta anos) uma fisionomia que me atraiu e absorveu logo a atenção pela sua absoluta idiossincrasia. Nunca vira na minha vida expressão semelhante àquela. Lembro-me de que o meu primeiro pensamento, ao vê-lo foi que Retzch, se o houvesse contemplado, teria preferido grandemente às figuras que lhe serviram de modelo para pintar o seu demônio.

Como eu procurava, durante o curto instante de um primeiro olhar, fazer uma análise qualquer do sentimento geral que aquela criatura estranha me transmitia, senti confusa e paradoxalmente no espírito as ideias da vasta inteligência, da circunspeção, da cupidez, da avareza sórdida, do sangue-frio, da perversidade, da sede sanguinária, do triunfo, da alegria, do excessivo terror do desespero intenso e supremo. Senti-me singularmente estimulado, absorto, fascinado. Quão extraordinária deve ser, disse eu comigo mesmo, a história escrita naquele peito! Veio-me então um desejo ardente de não perder o homem de vista sem saber alguma coisa a seu respeito.

Vesti rapidamente o meu paletó, peguei o chapéu e a bengala e fui para a rua, me enfiando no meio da multidão, na direção que o tinha visto tomar, porque a singular criatura havia já desaparecido. Descobri-o, finalmente, não sem alguma dificuldade; aproximei-me e segui-o de muito perto, com muito cuidado para que ele não percebesse.

Podia agora estudá-lo à minha vontade. Era baixo, muito magro e aparentemente fraco. Trazia o traje sujo e rasgado; mas, quando passou em frente de um candelabro, reparei que a sua camisa, posto que suja, era de boa qualidade;

e, se os olhos não me enganaram, através de um rasgão do capote, evidentemente comprado em segunda mão, que o envolvia todo, brilhavam um diamante e um punhal. Estas observações excitaram-me a tal ponto a curiosidade que resolvi seguir o desconhecido por toda a parte onde lhe aprouvesse ir.

Era já noite cerrada, e o nevoeiro espesso, que pairara sobre a cidade, ia-se convertendo em chuva grossa e contínua. Aquela mudança de temperatura produziu um efeito estranho sobre o povo, que se agitou com um movimento novo, escondendo-se sob um mundo de guarda-chuvas.

A ondulação, os encontrões e o zunzum das vozes tornaram-se dez vezes mais fortes. Pela minha parte não fiz grande caso da chuva (ardia-me ainda no sangue um resto de febre antiga, de sorte que a umidade para mim, embora perigosa, era uma voluptuosidade). Atei um lenço à roda do pescoço e deixei-me ir. Durante mais de meia hora o velho lutou com dificuldades para abrir caminho através da grande artéria, e eu então quase tinha de andar sobre ele para não o perder de vista; mas como nunca se voltara para trás, não podia me ver. Daí a pouco entrou em uma travessa, a qual, posto que cheia de gente, não estava tão atulhada como a rua principal que acabávamos de deixar. Quando chegou ali começou a andar lentamente, com certa hesitação. Atravessou e tornou a atravessar a turba diferentes vezes sem fim algum aparente; e a multidão era tão espessa que cada movimento novo me obrigava a segui-lo mais de perto. A rua era estreita e comprida. O homem andou por ali perto de uma hora e nesse meio tempo a multidão dos transeuntes diminuiu, pouco a pouco. Comparada à quantidade de gente que se vê de ordinário na Broadway, próximo do parque, tão grande é a diferença entre a concorrência de Londres e a da cidade americana mais populosa.

Segunda mudança de itinerário levou-me a uma praça brilhantemente iluminada, exuberante de vida. Então as maneiras do homem voltaram à primeira forma; deixou prender a barba sobre o peito, ergueu os olhos debaixo das sobrancelhas carregadas, olhou para todos os lados e apressou o passo regularmente, sem interrupção. Causou-me surpresa vê-lo tornar para trás depois de ter dado a volta à praça; e fiquei ainda mais admirado quando o vi recomeçar aquele passeio outras tantas vezes; de uma vez, ao voltar-se subitamente, ia-me descobrindo. Este exercício levou-lhe ainda uma hora, durante a qual a quantidade dos transeuntes havia diminuído consideravelmente. A chuva caía grossa, o ar resfriava, cada um tratara de se recolher.

Com um movimento de impaciência o homem errante passou para uma rua obscura, relativamente deserta. Depois desatou a correr por ela fora, (meio quilômetro, mais ou menos) com uma agilidade que eu não teria nunca suspeitado num indivíduo tão idoso; uma agilidade tal que me custava a segui-lo. Em alguns minutos desembocamos num bazar vasto e tumultuoso. O desconhecido, que apresentava sempre um ar apropriado às localidades, retomou o seu andar primitivo, furando por aqui e por ali, através dos compradores e dos vendedores.

Durante uma hora ou hora e meia, que divagamos naquele lugar, precisei de usar de toda a prudência para não o perder de vista, sem ao mesmo tempo lhe atrair a atenção. Felizmente, as minhas galochas de borracha não faziam no solo o menor ruído; por isso, o nosso homem nunca chegou a perceber que era seguido. Ele entrava sucessivamente em todas as lojas, não comprava nada, não dizia uma palavra e mirava tudo com um olhar vago e espantado. A sua conduta maravilhava-me cada vez mais, estimulando-me a não o largar enquanto não tivesse satisfeito a minha curiosidade.

Ao soar das onze horas, toda a gente apressaram em sair do bazar. Tendo sido empurrado por um lojista, que fechava apressadamente os mostradores, o homem estremeceu violenta e convulsivamente, saiu para a rua, olhou um instante com ansiedade incrível, através de muitas travessas tortuosas e desertas, até chegarmos outra vez à grande rua do hotel D..., de onde havíamos partido. Contudo, o aspecto da rua tinha mudado. O gás dos lampiões brilhava sempre; mas a chuva caía copiosamente, e apenas de vez em quando se viam alguns viandantes. O desconhecido empalideceu. Deu alguns passos, com um ar triste, na avenida, havia pouco, populosa, depois suspirou profundamente, tomou a direção do rio, e, internando-se num labirinto de travessas e becos afastados, chegou enfim defronte de um dos teatros principais, que estava prestes a fechar e cujo público se precipitava na rua por todas as portas. O homem abriu a boca, como para respirar, e entrou no meio da aglomeração. Ao mesmo tempo pareceu que a tristeza profunda da sua fisionomia diminuiu. Deixou pender outra vez a cabeça sobre o peito e retomou a forma sob a qual me aparecera pela primeira vez. Observei que se dirigia sempre para onde o apertão era maior; mas não pude compreender absolutamente nada do seu comportamento estranho.

O público ia se dispersando, e, na mesma proporção, voltaram ao velho a sua tristeza e as suas hesitações. Seguiu de perto, durante muito tempo, um grupo de dez ou doze boêmios, mas pouco a pouco, um a um, o número diminui, reduzindo-se a três indivíduos, que ficaram todos numa rua estreita, obscura e pouco frequentada. Então o desconhecido fez uma pausa e pareceu ficar, durante um momento, imerso em profundas reflexões. Súbito, com uma agitação evidente, enfiou a toda pressa por um caminho que nos conduziu ao extremo da cidade, a regiões muito diferentes das que havíamos atravessado até ali.

Estávamos agora no bairro mais insalubre de Londres, onde todos os objetos têm o estigma horrível da pobreza miserável e do vício incurável.

O Gato Preto

À luz acidental de um lustre sombrio, apercebiam-se as casas de madeira, altas, antigas, carunchosas, ameaçando ruína e em direções tão várias e tão numerosas, que mal se podia adivinhar, no meio delas, a aparência de uma passagem. As pedras da calçada, expulsas dos seus alvéolos pela relva triunfante, andavam espalhadas ao acaso; as valas das ruas estavam obstruídas pelas imundícies estagnadas. Toda a atmosfera regurgitava de desolação. Contudo, à medida que avançávamos, sentimos reavivarem-se gradualmente os ruídos da vida humana. Por fim apareceram, oscilantes, aqui e ali, grandes bandos de homens dos mais infames que compõem a povoação de Londres. O espírito do velho tornou a palpitar, como a luz de um candeeiro prestes a extinguir-se. Avançou outra vez com um pasmo elástico. De repente, ao voltar de uma esquina, apareceu-nos a luz flamejante de um desses templos enormes suburbanos da intemperança, um dos palácios do demônio, o Gin.

Era quase madrugada; mas a multidão de bêbados miseráveis apertava-se ainda em torno da faustosa porta. Ante aquele espetáculo tumultuoso, o velho deu quase um grito de alegria; retomou logo a fisionomia primitiva e começou a passar e repassar em todos os sentidos, pelo meio da multidão, sem fim algum aparente. Contudo, não havia ainda muito tempo que ele se entregava àquele exercício, quando um movimento anormal na direção das portas anunciou que o taberneiro ia fechar. O que observei então na fisionomia do indivíduo singular que me inspirava tanto interesse, foi alguma coisa mais intensa que o desespero. Todavia, sem um momento de hesitação e com uma energia louca, voltou imediatamente atrás, ao centro da poderosa Londres. Correu ligeiramente durante muito tempo (e eu sempre atrás dele, com um espanto crescente, que me incitava cada vez mais a não abandonar uma investigação, na qual o meu espírito se absorvia inteiramente).

Enquanto prosseguíamos na nossa carreira, levantou-se o sol. Quando chegamos outra vez ao ponto de reunião comercial da populosa cidade, a rua do hotel D... apresentava um aspecto de atividade e de movimento humano quase igual ao que havíamos presenciado na noite precedente. E ainda ali, no meio da confusão sempre crescente, obstinei-me longo tempo a seguir o desconhecido.

Como de ordinário ele passeava de um para o outro lado, e em todo o dia não saiu do turbilhão daquela rua. Aproximavam-se já as sombras da segunda noite.... Eu estava extenuado! Então, estacando em frente do homem errante, olhei-o intrepidamente. Mas sem prestar a menor atenção, continuou o seu passeio solene; enquanto que eu, tendo renunciado a persegui-lo mais tempo, ficava absorto e pasmado na sua contemplação!

Este velho, disse eu finalmente comigo mesmo, é o tipo e o gênio do crime profundo; o homem que não pode estar só: o homem das multidões. Eu ia segui-lo em vão, sem saber coisa alguma, nem dele nem das suas ações!

Um coração perverso é um livro mais repelente que o *hortulus animae*[1]; e é talvez uma das grandes misericórdias de Deus que não se deixa ler.

UMA DESCIDA AO MAELSTROM

A Descent into the Maelstrom, 1841

Tínhamos atingido o cume do rochedo mais elevado. O velho, durante alguns minutos, pareceu-me demasiado esgotado para falar. Finalmente, ele falou:

– Não faz muito tempo, eu o teria guiado por aqui tão bem como o mais novo dos meus filhos. Mas, há três anos, tive a aventura mais extraordinária que jamais suportou um ser mortal, ou pelo menos tão extraordinária que homem algum pôde sobreviver a ela para contar, e as seis horas desesperantes que passei despedaçaram-me o corpo e a alma. Julgam-me muito velho, mas não sou. Bastou um quarto de dia para me embranquecer os cabelos negros, ao ponto de tremer depois do menor esforço e ficar amedrontado por uma sombra. Saiba que mal posso olhar de cima deste pequeno penhasco sem ficar zonzo.

O pequeno penhasco à beira do qual se deitara tão negligentemente para repousar, de maneira que a parte mais pesada do seu corpo se inclinava e não estava livre de cair senão pelo ponto de apoio que tinha graças ao cotovelo na aresta aguda e escorregadia – o promontório, elevava-se aproximadamente a mil e quinhentos ou mil e seiscentos pés de um caos de rochedos abaixo de nós, imenso precipício de granito luzidio e negro. Por nada do mundo me teria aventurado a seis pés da borda. Na verdade, eu estava tão profundamente agitado pela situação perigosa do meu companheiro que me deixei cair no solo, agarrando alguns arbustos que estavam perto, não ousando sequer levantar os olhos para o céu. Esforçava-me em vão para afastar a ideia de que o furor do vento punha em pe-

---

1 Em tradução livre: *hortulus animae* é um pequeno livro de orações. (N. d. T)

rigo a própria base da montanha. Precisei de tempo para raciocinar e encontrar a coragem de me sentar e perscrutar o espaço.

– Não precisa ter medo – disse-me o guia – porque o trouxe aqui para mostrar o local do acontecimento de que falava há pouco e lhe contar toda a história com o próprio cenário à sua frente.

"Nós estamos agora – prosseguiu com essa maneira detalhista que o caracterizava – na costa da Noruega, a 68 graus de latitude, na grande província de Nortland e no lúgubre distrito de Lofoden. A montanha cujo cume estamos chama-se Helseggen, a Nublada. Agora, levante-se um pouco; agarre-se aos arbustos se sentir vir a vertigem – isso mesmo – e olhe para além desta cintura de vapores que esconde o mar a nossos pés."

Olhei rapidamente e vi uma vasta extensão de mar cuja cor de tinta me recordou imediatamente a descrição do geógrafo núbio em o seu *Mar Tenebroso*. Era um panorama mais espantosamente desolador do que o que seria dado a uma imaginação humana conceber. A direita e à esquerda, tão longe quanto a vista podia alcançar, alongavam-se, como as muralhas do mundo, as linhas de uma falésia terrivelmente negra e escarpada, cujo caráter sombrio era poderosamente reforçado pela ressaca que subia até à crista branca e lúgubre, uivando e mugindo eternamente. Mesmo em frente do promontório, no cume do qual nós estávamos colocados, a uma distância de uns dez quilômetros do mar, avistava-se uma ilha que parecia deserta, ou antes, adivinhava-se no amontoado enorme de escolhos em que estava envolvida. Uns três quilômetros mais perto da terra, erguia-se uma ilhota menor, horrivelmente pedregosa e estéril, rodeada por grupos descontínuos de rochas negras.

O aspecto do oceano, na extensão compreendida entre a margem e a ilha mais afastada, tinha qualquer coisa de extraordinário. Nesse momento soprava do lado da terra uma brisa tão forte que um brigue, muito ao largo, estava à capa com as velas nos rizes e o seu casco desaparecia algumas vezes por completo. Contudo, nada havia que se assemelhasse a uma onda regular, mas somente, e a despeito do vento, a um marulhar de água, vivo e rápido em todos os sentidos, e pouca espuma, exceto na vizinhança imediata dos rochedos.

– A ilha que vê lá embaixo – continuou o velho homem – é chamada Vurrgh pelos noruegueses. A que está a meio caminho é Moskoe. A que está a uma milha ao norte é Ambaaren. Lá embaixo são: Islesen, Hotholm, Keildhelm e Buckholm. Mais além – entre Moskoe e Vurrgh – Otherholm, Flimen, Sandflesen e Stockholm. São estes os verdadeiros nomes destes lugares; mas não consigo compreender por que foi necessário nomeá-los. É mais do que você ou eu possa entender. . Ouve alguma coisa? Vê alguma mudança na água?

Nós estávamos há cerca de dez minutos no cimo de Helseggen, onde subíramos a partir do interior de Lofoden, de forma que não podíamos avistar o mar,

O Gato Preto

e eis que ele nos aparecera de repente do cume mais elevado. Enquanto o velho falava, ouvi um ruído mais forte, que ia crescendo como o mugido de uma imensa manada de búfalos numa pradaria da América, e nesse mesmo momento vi o que os marinheiros chamam o caráter ondulante do mar tornar-se rapidamente numa corrente que se deslocava para leste. Enquanto eu olhava, esta corrente adquiriu uma prodigiosa rapidez. Aumentava de velocidade de um momento para o outro com uma impetuosidade incrível. Em cinco minutos todo o mar, até Vurrgh, foi fustigado por uma fúria indomável; mas era entre Moskoe e a costa que principalmente a borrasca dominava. Ali, o vasto leito das águas, sulcado por mil correntes contrárias, rebentava repentinamente em convulsões frenéticas, ofegando, borbulhando, assobiando, voltando-se em gigantescos e inumeráveis turbilhões, rodopiando e precipitando-se totalmente para leste, com uma rapidez que não se manifesta nem nas cataratas.

Alguns minutos depois, a paisagem sofreu uma outra mudança radical. A superfície geral tornou-se um pouco mais uniforme, e os turbilhões desapareceram um a um, enquanto prodigiosas manchas de espuma apareceram onde eu não vira nenhuma até então. Depois estas manchas alongaram-se até uma grande distância e, combinando-se , adotaram o movimento giratório dos turbilhões e pareceram formar o gérmen de um vórtice mais vasto. De repente, muito de repente, este apareceu e tomou uma forma distinta e definida, num círculo de mais de uma milha de diâmetro. O extremo do turbilhão estava marcado por uma cintura de espuma luminosa, mas nem uma parcela deslizava para a garganta do terrível funil, cujo interior, tão longe quanto o olhar podia avistar, tinha uma parte líquida, lisa, brilhante e de um negro de azeviche, formando com o horizonte um ângulo de cerca de 45 graus, rodando sobre si sob a influência de um movimento ensurdecedor e projetando para o ar um som medonho , meio grito, meio rugido, tal como as cataratas do Niágara nos seus tormentos..

A montanha tremia mesmo na base e o rochedo mexia-se. Deitei-me de bruços, e num excesso de agitação nervosa, encostei-me à relva rala.

– Isto – disse-me por fim o velhote – não pode ser outra coisa senão o turbilhão do Maelstrom. Chamam-lhe algumas vezes assim, mas nós, os noruegueses, chamamos de o Moskoe-Strom, por causa da ilha de Moskoe, que está situada a meio caminho.

As descrições comuns deste turbilhão não tinham de maneira alguma me preparado para o que eu via. A de Jonas Ramus, que é talvez mais pormenorizada do que nenhuma outra, não dá a mais ligeira ideia da magnificência e do horror da cena – nem a estranha e encantadora sensação de novidade que confunde o observador. Eu não sei precisamente qual o ponto de vista, nem a que horas o escritor em questão pesquisou, mas não pôde ser nem do cume de Helseggen, nem durante uma tempestade. Existem algumas passagens da sua descrição que podem ser citadas pelos pormenores, se bem que sejam muito insuficientes para dar uma ideia do espetáculo.

"Entre Lofoden e Moskoe – diz ele – a profundidade da água é de oitenta a noventa metros, mas do outro lado, do lado de Vurrgh, esta profundeza diminui a ponto de um navio não poder procurar aí uma passagem sem correr o perigo de se despedaçar sobre as rochas, o que pode acontecer com o tempo mais calmo. Quando vem a maré, a corrente lança-se no espaço compreendido entre Lofoden e Moskoe com uma tumultuosa rapidez, mas o rugido do seu terrível refluxo é apenas igualado com dificuldade pelas mais altas e terríveis cataratas. Ouve-se o barulho a várias léguas, e os turbilhões ou torrentes cavadas são de tal extensão e de tal profundidade que se um navio entrar na zona da sua atração é inevitavelmente absorvido e arrastado para o fundo, sendo ali feito em pedaços de encontro aos rochedos. E quando a corrente enfraquece, os destroços são trazidos à superfície. Mas estes intervalos de tranquilidade não surgem senão entre o refluxo e o fluxo, quando o tempo está calmo, e duram apenas quinze minutos. Depois, a violência da corrente recomeça gradualmente.

Quando se agita ao máximo e quando a sua força é aumentada por uma tempestade, é perigoso aproximar-se mesmo a um quilômetro e meio de distância. Barcaças, iates e navios são arrastados por se não acautelarem antes de se encontrarem ao alcance da sua esfera de atração. Frequentemente as baleias vêm demasiado perto da corrente e são dominadas pela sua violência; e é impossível descrever os seus uivos e rugidos perante a inutilidade dos esforços para se libertarem.

Certa vez, um urso, ao tentar passar a nado o estreito entre Lofoden e Moskoe, foi arrastado pela corrente e levado para o fundo. Rugia tão horrorosamente que se ouvia na margem. Enormes troncos de pinheiros engolidos pela corrente reapareciam quebrados, despedaçados e a tal ponto que parecia que lhes tinham arrancado a casca. Isso demonstra claramente que o fundo é constituído por rochas pontiagudas sobre as quais eles rolaram. Esta corrente é regulada pelo fluxo e refluxo do mar, que se observa de seis em seis horas. No ano de 1645, no domingo da Sexagésima, muito cedo, pela manhã, precipitou-se o turbilhão com um tal estrondo e uma tal impetuosidade que pedras foram atiradas às casas da encosta...

No que se refere à profundidade da água, não compreendo como puderam avaliá-la na proximidade imediata do turbilhão. Os noventa metros devem se referir somente nas partes do canal mais próximas da margem, quer de Moskoe, quer de Lofoden. A profundidade no centro do Moskoe-Strom deve ser incomensuravelmente maior, e basta, para adquirir a certeza, basta olhar do abismo para o turbilhão, quando se está no cume mais elevado de Helseggen. Ao relancear o olhar pelo cimo deste pico no Phlégéthon uivante, não pude deixar de

O Gato Preto

sorrir da simplicidade com a qual o bom Jonas Ramus conta, são coisas difíceis de acreditar, as suas anedotas de ursos e de baleias, porque me parecia que era coisa evidente que o maior navio, se chegasse ao alcance desta mortal atração, devia resistir a ele tanto quanto uma pena a um sopro de vento e desaparecer imediatamente como por encanto.

As explicações que se têm dado ao fenômeno – que recordo algumas que me pareciam suficientemente plausíveis à leitura – tinham agora um aspecto muito diferente e muito pouco satisfatório. A explicação geralmente dada era que, como os três turbilhões das ilhas Feroé, este "não tinha outra coisa senão o choque das vagas, subindo e descendo como o fluxo e o refluxo, ao longo de um banco de rochas que contém as águas e as lança como uma catarata; e que assim, quanto mais a maré sobe, mais profunda é a queda, e que o resultado natural é um turbilhão ou vórtice, cujo prodigioso poder de sucção é suficientemente demonstrado pelos mais pequenos exemplos". Tais são as palavras da Enciclopédia Britânica. Kircher e outros imaginam que no meio do canal de Maelstrom está um abismo que atravessa o globo e termina em alguma região muito afastada; o golfo de Bótnia foi mesmo designado uma vez, um pouco levianamente. Esta opinião bastante pueril era aquela que, enquanto eu contemplava o lugar, acreditava ser a mais coerente.

E quando a manifestei ao guia, fiquei bem surpreso quando o ouvi dizer que, se bem que fosse a opinião quase geral dos noruegueses a esse respeito, não era todavia a sua. Quanto a esta ideia, confessou que era incapaz de a compreender, e acabei por estar de acordo com ele, porque, por muito convincente que parecesse no papel, tornara-se absolutamente incompreensível e absurda em meio a fúria do abismo.

– Agora que viu bem o turbilhão – disse o velho – se quer que nos coloquemos atrás desta rocha, ao abrigo do vento, de maneira que amorteça o barulho da água, vou contar-lhe uma história que o convencerá de que devo saber alguma coisa disso, do Moskoe-Strom!

"Eu e os meus dois irmãos possuíamos outrora um barco aparelhado , de setenta toneladas mais ou menos, com o qual pescávamos perto de Vurrgh. Todos os violentos remoinhos do mar dão boa pesca, contanto que se apanhe um tempo oportuno e que se tenha a coragem de tentar a aventura. Mas entre todos os da costa, só nós os três íamos com regularidade às ilhas, como lhe disse. Os pescadores comuns vão em maior quantidade para o sul. Podendo apanhar peixe a qualquer hora, sem correr grande risco, e, naturalmente, esses lugares são preferidos; mas os pesqueiros, por aqui, entre os rochedos, dão não só o peixe da melhor qualidade, mas também em maior abundância. Apanhávamos muitas vezes, num só dia, o que os tímidos no ofício não poderiam alcançar numa se-

115

mana. Resumindo, nós fazíamos disso uma espécie de negócio desesperado – o risco da vida substituía o trabalho e a coragem ocupava o lugar principal.

Abrigávamos o nosso barco de pesca numa enseada a cinco milhas da costa acima desta, e era nosso costume, quando estava bom tempo, para aproveitar a trégua de quinze minutos, lançarmo-nos através do canal de Moskoe-Strom, mesmo por cima do buraco, e ir lançar a âncora em qualquer parte na proximidade de Otterholm ou de Sandflesen onde os remoinhos não são tão violentos como noutras partes. Ali esperávamos quase até à hora da acalmia das águas. Nós não nos aventurávamos jamais nesta espécie de expedição sem um vento de popa para a ida e vinda – e raramente nos enganávamos sobre esse ponto. Duas vezes, em seis anos, fomos obrigados a passar a noite à âncora, em consequência de uma acalmia absoluta, o que é um caso bem raro nestas paragens. E, uma outra vez, ficamos em terra aproximadamente uma semana, esfomeados, devido à ventania que começou a soprar, pouco depois da nossa chegada, e tornou o canal demasiado tempestuoso para pensar em atravessá-lo. Nessa ocasião, teríamos sido arrastados pelo vento a despeito de tudo (porque os turbilhões balançavam-nos para aqui e para acolá, com uma tal violência, que por fim tivemos de largar, ao vermos a âncora se quebrar) se não tivéssemos derivado para uma dessas inumeráveis correntes que se formam, aqui hoje e amanhã noutra parte, e que nos conduziu para Flimen, aonde, por felicidade, nós ancoramos.

Não direi a vigésima parte dos perigos que passamos nas pescarias, mesmo com bom tempo – mas encontrávamos sempre meio de desafiar o Moskoe-Strom sem acidente. Por vezes, contudo, o coração quase me saltava da boca quando estávamos um minuto adiantados ou atrasados em relação à acalmia. Algumas vezes, o vento não era tão forte como nós esperávamos ao colocar a vela, e então íamos menos depressa do que teríamos querido, enquanto a corrente tornava o barco mais difícil de governar.

O meu irmão mais velho tinha um filho de dezoito anos, e eu tinha para me ajudar dois grandes rapagões. Ainda que tivessem sido um grande auxílio em semelhantes casos, quer pegando os remos, quer pescando na popa, na verdade, se bem que nós consentíssemos em arriscar a nossa vida, não tínhamos a coragem de deixar os nossos filhos afrontar o perigo, porque, pensando bem, estas expedições eram muitíssimo perigosas. É a pura verdade.

Há três anos menos alguns dias que aconteceu o que vou contar. Estávamos a 10 de julho de 18..., um dia que as pessoas desta terra não mais esquecerão – porque foi um dia em que soprou a mais horrível tempestade que jamais caiu dos céus. No entanto, a manhã toda e mesmo muito antes da tarde, tivemos uma agradável brisa que vinha do sudoeste, o sol estava soberbo, tão bom que o mais velho lobo-do-mar não teria podido prever o que ia acontecer.

Tínhamos passado os três, os meus dois irmãos e eu, através das ilhas, cerca das duas horas da tarde, e logo carregamos o barco de bons peixes, que – já tínhamos os três notado – era abundante nesse dia como nunca tínhamos visto. Eram precisamente sete horas no meu relógio quando levantamos a âncora para voltar às nossas casas, de forma a percorrer a parte mais perigosa do Strom no intervalo em que as águas estavam tranquilas, o qual, conforme nós sabíamos, seria às oito horas.

Partimos com uma boa brisa a estibordo, e durante algum tempo, seguimos muito em círculo, sem pensar sequer no menor perigo, porque na realidade não víamos motivo para apreensões.

De repente, fomos apanhados por um pé de vento que vinha de Helseggen. Fora na verdade espantoso – uma coisa que nunca nos acontecera – eu começava a ficar um pouco inquieto, sem saber exatamente porquê. Fomos envolvidos pelo vento, e como não pudemos mais cortar os remoinhos estive a ponto de propor o regresso ao ancoradouro, quando, ao olhar para trás, vimos todo o horizonte envolvido numa nuvem estranha, cor de cobre, que subia com uma espantosa velocidade.

Ao mesmo tempo, a brisa que até há pouco nos empurrava de estibordo amainou, e surpreendidos então por uma acalmia absoluta, vagávamos à mercê de todas as correntes. Mas esta situação não durou o tempo suficiente para nos deixar refletir. Em menos de um minuto, a tempestade achava-se por cima de nós – e também um minuto depois, o céu estava por completo carregado, tornando-se de repente tão negro e com um nevoeiro tão cerrado que não podíamos ver uns aos outros.

Tentar descrever semelhante ventania seria loucura. O mais velho marinheiro da Noruega nunca vira coisa semelhante. Tínhamos amainado as velas antes que o golpe de vento nos surpreendesse, mas, após a primeira rajada, os nossos dois mastros tombaram por cima das bordas como se tivessem sido serrados pela base – o mastro grande arrastou consigo o meu irmão mais novo que, por prudência, se encontrava encostado a ele.

O nosso barco assemelhava-se muito a um levíssimo brinquedo que tivesse deslizado para o mar. Possuía um convés com uma só escotilha à frente e nós tínhamos por costume fechá-la seguramente ao atravessar o Strom, boa precaução num mar como aquele. E nas circunstâncias presentes, teríamos soçobrado logo ao primeiro golpe de mar, porque durante alguns instantes ficamos literalmente metidos na água. Como é que o meu irmão mais velho escapou à morte? Não posso dizê-lo, nunca poderei explicar. Pela minha parte, logo que deixei o traquete, lancei-me pelo convés, de bruços, com os pés encostados a uma estreita plataforma, e as mãos agarradas a uma argola, perto da base do mastro. . O puro instinto fizera-me agir assim – era indubitavelmente o que tinha de melhor a fazer – porque estava demasiado aturdido para pensar.

Durante alguns minutos, ficamos por completo inundados, como lhe dizia, e retive a respiração todo esse tempo e agarrei-me à argola.

Quando senti que não podia ficar assim por muito tempo sem ficar sufocado, ajoelhei-me segurando-me sempre com as mãos. Então, o nosso barquinho, deu uma sacudidela tal como um cão que sai da água e ergueu-se em parte para fora do mar. Esforçava-me então para reagir o melhor possível contra o espanto que me invadira e recobrar suficientemente a serenidade, para ver o que tinha a fazer, quando senti que alguém me agarrava o braço.

Era o meu irmão mais velho, e o meu coração regozijou-se porque julgava que ele caíra pela borda; mas, um momento depois, toda esta alegria transformou-se em horror quando chegou a boca ao meu ouvido e gritou estas simples palavras: "Moskoe-Strom!"

Ninguém poderá saber jamais o que foram nesses instantes os meus pensamentos. Tremia da cabeça aos pés, como se tivesse um violento acesso de febre. Compreendia suficientemente o que ele queria dizer, sabia bem o que ele desejava que eu compreendesse! Com o vento que nos empurrava, agora estávamos amarrados ao turbilhão do Strom e nada nos podia salvar.

Você compreendeu que ao atravessar o canal de Strom nós seguíamos sempre o nosso caminho, por cima do turbilhão, mesmo no tempo calmo, e mesmo assim tínhamos o cuidado de observar o fluxo da maré. Mas, agora, corríamos direitos para o abismo e com uma tempestade daquelas! "Certamente, pensei eu, chegaremos lá no momento da acalmia, e havia ainda uma pequena esperança." Via perfeitamente que estávamos condenados, mesmo que estivéssemos a bordo do maior navio de guerra. Nesse momento, o primeiro furor da tempestade passara, ou talvez não a sentíssemos porque fugíamos à frente da tempestade, mas em todo o caso, o mar, que o vento tinha primeiro açoitado, agora estava plano e espumante, erguia-se em verdadeiras montanhas. Uma modificação singular se realizara também no céu. À nossa volta, em todas as direções, estava negro como breu, mas, quase por cima de nós, havia uma abertura circular – um céu claro, claro como nunca o vira, de um azul brilhante e escuro – e através dessa clareira resplandecia a Lua cheia que iluminava tudo à nossa volta com perfeita nitidez. Deus do Céu! Que cena!

Por uma ou duas vezes tentei falar ao meu irmão, mas o estrondo, sem que eu soubesse explicar como, aumentara a tal ponto que não consegui que ele ouvisse uma única palavra, se bem que lhe gritasse ao ouvido com toda a força dos meus pulmões. De repente ele sacudiu a cabeça, ficou de uma palidez cadavérica e levantou um dos dedos como para me dizer: "Escuta!"

Primeiro, não compreendi o que queria dizer, mas em breve um espantoso pensamento me esclareceu. Tirei o meu relógio do bolso. Não trabalhava. Olhei para o mostrador à claridade do luar e chorei amargamente.. Ele parara às sete horas! Tínhamos deixado passar o fluxo da maré e o turbilhão estava em plena fúria.

Quando um navio é bem construído, devidamente equipado e não muito carregado, as ondas, com o vento forte e quando ele está ao largo, parecem passar sempre por baixo da quilha, o que parece também estranho a quem não seja marinheiro e que se chama em linguagem de bordo cavalgar. Tínhamos cavalgado as ondas com muita habilidade ; mas subitamente um mar violento nos atirou para cima, como se fosse para nos empurrar para o céu. Nunca teria acreditado que uma onda pudesse subir tão alto. Depois descemos fazendo uma curva, um mergulho , como se estivesse caindo de uma alta e imensa montanha em um sonho.. Mas do alto da onda olhei à minha volta e bastou este olhar. Vi num segundo exatamente a nossa posição. O turbilhão do Moskoe-Strom, que estava a cerca de um quarto de milha à nossa frente, assemelhava-se pouco ao Moskoe-Strom de todos os dias: apresentava um aspecto muito mais imponente. Se não soubéssemos onde estávamos e o que tínhamos a esperar, não teria reconhecido o lugar. Tal como o vi, fechei involuntariamente os olhos, horrorizado: as minhas pálpebras se grudaram num espasmo.

Dois minutos depois, sentimos de repente a onda acalmar, e fomos envolvidos pela espuma. O barco deu uma volta brusca a bombordo e partiu em nova direção como um raio. No mesmo instante, o rugido da água perdeu-se numa espécie de clamor agudo – um tal som que parecia as válvulas de vários milhares de barcos a largarem ao mesmo tempo o vapor das caldeiras. Estávamos então na faixa encrespada que circula sempre o turbilhão; e acreditava, como é natural, que num segundo íamos mergulhar no abismo, cujo fundo não conseguíamos ver distintamente por causa da prodigiosa velocidade com a qual éramos arrastados para lá.

O barco não parecia mergulhado na água, mas tocar-lhe levemente, como a bolha de ar que rodopia sobre a superfície da onda. Tínhamos o turbilhão a estibordo, e a bombordo erguia-se o vasto oceano donde tínhamos vindo. Elevava-se como um muro gigantesco, interpondo-se entre nós e o horizonte. Isto pode parecer estranho; mas quando ficamos sobre a garganta do abismo, senti mais sangue-frio do que quando nos aproximávamos. Tendo perdido qualquer sombra de esperança fui libertado de uma grande parte deste terror que tinha primeiro me invadido. Suponho que era o desespero que me retesava os nervos. Tomará isto talvez por uma fanfarronice, mas o que lhe disse é a verdade: comecei a pensar que coisa magnífica era morrer de semelhante forma, e quanto eu era tolo por me ocupar do vulgar interesse pela minha salvação individual em face de uma tão prodigiosa manifestação de Deus. Creio que corei de vergonha quando esta ideia surgiu na minha mente. Instantes depois, apoderou-se de mim uma curiosidade ardente relativa ao próprio turbilhão. Senti positivamente o desejo de explorar as suas profundezas mesmo à custa do sacrifício que ia fazer; o meu principal desgosto era pensar que jamais poderia contar aos meus velhos camaradas os mistérios que ia conhecer. Eram esses, sem dúvida, estranhos pensamentos para ocupar o espírito de um homem em semelhante extremo – e tive muitas vezes a ideia, desde então, de que as evoluções em volta do vórtice tinham-me aturdido a cabeça.

Houve uma outra circunstância que contribuiu para me tornar mais seguro de mim: a calma do vento que não podia atingir-nos mais na nossa situação atual – porque, como pode julgar por si, o círculo de espuma está consideravelmente abaixo do nível do oceano, e este último dominava-nos agora, como a crista de uma alta e negra montanha. Se nunca se encontrou no mar durante uma grande tempestade não pode fazer uma ideia da perturbação de espírito ocasionada pela ação simultânea do vento e do bater das vagas. Isto cega-o, atordoa-o, estrangula-o e tira-lhe toda a faculdade de ação ou de reflexão. Mas nós estávamos agora aliviados de todos os embaraços – como esses miseráveis condenados à morte a quem se concedem na prisão alguns pequenos favores que se lhes recusaram enquanto a sentença não fora pronunciada.

Quantas vezes demos a volta a este círculo é impossível dizer. Nós corremos em volta, aproximávamo-nos cada vez mais do centro do turbilhão e sempre mais perto, cada vez mais perto do seu espantoso interior.

"Durante todo esse tempo não largara a argola. O meu irmão estava atrás segurando-se a uma pequena barrica vazia, solidamente amarrada sob a torre de vigia, por detrás da bitácula; era o único objeto de bordo que não fora varrido quando o golpe de vento nos surpreendera.

Quando nos aproximávamos da borda do poço movediço, ele largou o barril e procurava agarrar a argola que, na agonia do terror, se esforçava por arrancar das minhas mãos e que não era bastante larga para nos dar a segurança suficiente aos dois.

Nunca senti um desgosto tão profundo, como o que tive ao vê-lo tentar semelhante ação, se bem que visse que o terror o tornara num louco furioso.

Todavia, não tentei disputar-lhe o lugar. Sabia bem que importava muito pouco a quem pertenceria a argola; dei-lha e fui eu para o barril, para a ré. Não fora muito difícil praticar essa manobra; porque o barco agora corria em volta com bastante aprumo e muito direito sobre a quilha, empurrado algumas vezes aqui e acolá pelas imensas ondas e pelo turbilhão. Mal me acomodara na minha nova posição, tivemos uma violenta sacudidela a estibordo e fomos de frente para o abismo. Murmurei uma rápida oração a Deus, e pensei que tudo estava terminado.

Como eu sofresse o efeito doloroso da náusea da descida, agarrei-me instintivamente ao barril com mais força e fechei os olhos. Durante alguns segundos não ousei abri-los, esperando uma destruição instantânea e admirando-me de não estar nas angústias supremas da imersão. Mas os segundos decorriam; vivia ainda. A sensação da queda cessara, e o movimento do navio se assemelhava muito ao que já era, quando fomos levados na faixa de espuma, com a diferença de que o barco estava mais inclinado. Encorajei-me de novo e olhei uma vez mais para o que me rodeava.

Jamais esquecerei as sensações de medo, de horror e admiração que senti ao olhar à minha volta. O barco parecia suspenso como por magia, a meio caminho da sua queda, na superfície interior de um funil de uma vasta circunferência, de uma profundidade prodigiosa, e cujas paredes admiravelmente polidas poderiam parecer de ébano, se não fosse a surpreendente velocidade com a qual elas piruetavam e a brilhante e horrível claridade que elas repercutiam sob os raios da lua que, desde o buraco circular que já descrevi, deixava cair um rio de ouro e de esplendor ao longo das paredes negras e penetrava até à mais íntima profundeza do abismo.

Primeiro, eu estava demasiado perturbado para observar fosse o que fosse com alguma exatidão. A explosão geral desta magnificência aterradora era tudo o que se podia ver. Contudo, quando vim um pouco a mim, o meu olhar dirigiu-se instintivamente para o fundo. Nessa direção, podia alongar o olhar sem obstáculo por causa da posição do nosso barco, que estava suspenso sobre a superfície inclinada do abismo; corria sempre sobre a quilha, isto é, a sua ponte formava um plano paralelo ao da água que fazia como um talude inclinado a 45 graus, de forma que parecia sustentarmo-nos sobre um lado. Não podia deixar de reparar, contudo, que não tinha mais dificuldade em me manter com as mãos e pés nesta posição do que se estivéssemos em plano horizontal, e isso acontecia, suponho, devido à velocidade com que nós girávamos.

Os raios da lua pareciam procurar o fim do fundo do abismo; no entanto, não podia distinguir nitidamente, por causa de um espesso nevoeiro que envolvia tudo e sobre o qual pairava um magnífico arco-íris semelhante a esse ponto estreito e vacilante que os muçulmanos afirmam ser a passagem entre o Tempo e a Eternidade. Este nevoeiro, ou esta espuma, era sem dúvida ocasionado pelo choque das grandes paredes do funil; quanto ao rugido que subia desse nevoeiro para o céu, não tentarei descrevê-lo.

A nossa primeira escorregadela para o abismo, a partir da faixa de espuma, tinha-nos levado para uma grande distância da vertente; mas posteriormente a nossa descida não se efetuou tão rapidamente, ao aproximarmo-nos. Nós navegamos sempre em círculos, que por vezes nos projetavam para cima centenas de jardas e outras vezes faziam-nos descrever uma volta completa, em torno do turbilhão. A cada volta, aproximávamo-nos do abismo, lentamente, é certo, mas de uma maneira muito sensível. Olhei em redor, sobre o vasto deserto de ébano que nos retinha, e apercebi-me que o nosso barco não era o único objeto que caíra nas garras do turbilhão. Por cima e por baixo de nós viam-se destroços de barcos, grandes pedaços de madeira, troncos de árvores, bem como um bom número de artigos pequenos, tais como peças de mobiliário, malas partidas, barris e aduelas. Já descrevi a curiosidade sobrenatural que substituíra os meus primeiros terrores. Parecia-me que ela aumentava à medida que me aproximava do meu espantoso destino. Comecei então a espiar com um estranho interesse os numerosos objetos que flutuavam junto de nós. Era preciso que eu estivesse delirando, porque encontrava mesmo uma espécie de divertimento calcular as velocidades relativas na descida para o turbilhão de espuma.

Este pinheiro, surpreendi-me uma vez a dizer, será a primeira coisa que dará o terrível mergulho e que desaparecerá; e fiquei muito desapontado de ver que um barco da marinha mercante holandesa tomara a dianteira e se afundara primeiro. O decorrer do tempo, depois de ter feito conjeturas desta natureza, e de ter sempre me enganado, este fato – o fato do meu invariável erro – me levou a uma ordem de reflexões que fizeram de novo tremer os meus membros e bater o meu coração ainda mais apressadamente.

Não era um novo terror que me afetava assim, mas o nascer de uma esperança bem mais emocionante. Esta esperança surgia em parte da memória, em parte também da observação presente. Recordei a imensa variedade de destroços que juncavam a costa de Lofoden e que todos eram absorvidos e reenviados para o Moskoe-Strom. Estes artigos, na maioria, eram desfeitos da maneira mais extraordinária – despedaçados, esfolados, a ponto de terem o aspecto de pontas e lascas. Mas recordava-me distintamente então de que havia alguns que não estavam desfigurados por completo. Não podia agora reparar nesta diferença supondo que os fragmentos esfolados fossem os únicos que tivessem sido completamente absorvidos; os outros, ao entrarem no turbilhão num período bastante avançado da maré, ou depois de terem entrado ali, lentamente, para não atingir o fundo antes do fluxo ou do refluxo, conforme os casos. Admiti como possível, nos dois casos, que tivessem subido rodopiando de novo até ao nível do oceano sem sofrer a sorte dos que tinham sido arrastados mais cedo ou absorvidos mais rapidamente. Fiz também três observações importantes: a primeira, que, regra geral, quanto mais pesado é o corpo, mais rápida é a descida; a segunda, que duas massas tendo um comprimento igual, uma esférica e a outra seja qual for a forma, é maior a velocidade de descida para a esférica; a terceira, que tendo duas massas de um volume igual, uma cilíndrica e a outra seja de qual for a forma, a cilíndrica era absorvida mais lentamente.

O Gato Preto

"Desde o meu salvamento, tive a este respeito algumas conversas com um velho mestre da escola do distrito, e foi ele que me ensinou o emprego das palavras cilindro e esfera. Explicou-me – mas esqueci a explicação – que aquilo que eu observava era a consequência natural da forma dos destroços flutuantes e demonstrou-me como um cilindro girando num turbilhão, apresentava mais resistência à sucção e era atraído com mais dificuldade do que um corpo de outra forma qualquer e de um volume igual.

"Não hesitei por muito tempo sobre o que tinha a fazer. Resolvi agarrar-me com confiança à barrica a que me conservara sempre abraçado, desatar o cabo que a retinha à bitácula, e atirar-me com ela ao mar. Esforcei-me, por sinais, por despertar a atenção do meu irmão sobre os barris flutuantes, ao pé dos quais nós passávamos e fiz tudo o que pude para lhe fazer compreender o que ia tentar. Julguei, passado algum tempo, que ele adivinhara o meu desígnio; mas tivesse-o ou não compreendido, sacudiu a cabeça com desespero e recusou abandonar o lugar junto da argola. Era-me impossível agarrá-lo; a conjuntura não permitia demoras. Assim, com uma amarga angústia, abandonei-o ao seu destino; amarrei-me à barrica com o cabo que a amarrara à torre de vigia e, sem hesitar nem mais um momento, precipitei-me com ela para o mar.

O resultado foi exatamente como eu esperava. Como sou eu próprio que lhe conto esta história, como vê, escapei – e como já conhece a maneira que empreguei para me salvar, pode desde já prever tudo o que teria para lhe dizer – abreviarei a minha história e irei direto à conclusão.

Havia decorrido cerca de uma hora desde que abandonara o barco quando ele, depois de ter descido a uma grande distância deu, uma após outra, três ou quatro voltas precipitadas e, arrastando o meu bem-amado irmão, mergulhou de proa, rapidamente e para sempre, no caos da espuma.

O barril ao qual eu estava amarrado vagava já quase até metade da distância que separava o fundo do abismo do lugar de onde me precipitara pela borda, quando ocorreu uma grande mudança no turbilhão. A vertente das paredes do vasto funil tomou-se cada vez menos escarpada. As evoluções do turbilhão tomaram-se gradualmente menos rápidas. Pouco a pouco a espuma e o arco-íris desapareceram, e o fundo do abismo pareceu elevar-se lentamente.

O céu ficou claro, o vento abrandou, e a Lua cheia desapareceu radiosamente a oeste, quando me encontrei à superfície do oceano, mesmo em frente da costa de Lofoden, e por cima do lugar onde antes estava o turbilhão de Moskoe-Strom. Era a hora da acalmia, mas o mar elevava-se ainda em vagas enormes, em consequência da tempestade. Fui levado violentamente para o canal de Strom e lançado em poucos minutos à costa, entre os pescadores. Um barco apanhou-me, esgotado de fadiga, e, embora o perigo tivesse desaparecido, a recordação destes horrores tinham-me tomado mudo. Os que me levaram para bordo eram

123

meus velhos camaradas do mar e companheiros de todos os dias, mas não me reconheceram, como não teriam reconhecido um homem que viesse do mundo dos espíritos. Os meus cabelos, que na véspera eram de um negro de asas de corvo, estavam tão brancos como os vê agora. Disseram-me também que toda a expressão da minha fisionomia estava mudada. Contei a minha história para eles. Disseram que não acreditavam. Conto-a agora aqui. Mas mal me atrevo a esperar que acredite mais em mim que os pescadores de Lofoden.

O REI PESTE

King Pest, 1835

Um conto que contém uma alegoria:

*"Os deuses suportam e permitem aos reis as coisas
que abominam na ralé."*

Buckhurst, A Tragédia de Ferrex e Porrex

Era no mês de outubro, sob o cavalheiresco reinado de Eduardo III. Por volta da meia-noite, dois marujos da tripulação do *Free and Easy*, escuna de comércio que fazia o serviço entre Sluyse o Tâmisa, e que estava então ancorada neste rio, achavam-se sentados na sala de uma taverna da paróquia de Santo André, em Londres, a qual tinha por insígnia Alegre Lobo do Mar. Essa sala, malconstruída, com tetos em cima da cabeça, denegrida pela fumaça: semelhante, enfim, a todas as tavernas daquela época, agradava, apesar disso, aos diferentes grupos de bebedores que a ocupavam.

Dentre esses grupos, os dois marinheiros formavam, a nosso ver, o mais interessante, se não o mais notável.

O que parecia mais velho e a quem o outro dava o apelido de Legs, era também o mais alto dos dois. Tinha bem quase dois metros.. Em consequência de tão elevada estatura, andava meio curvado. A consequência dessa altura era, contudo, mais que compensado noutras dimensões. Era, por exemplo, tão excessivamente magro que o seu corpo, diziam os companheiros, poderia substituir perfeitamente o mastro do navio. Mas, evidentemente, essas brincadeiras e outras análogas nunca tinham podido fazer sorrir o lobo do mar. Com um grande nariz de falcão, um queixo saliente , maxilar inferior deprimido, enor-

mes olhos brancos protuberantes, a sua fisionomia, embora expressasse uma espécie de indiferença geral, não deixava de ser séria e solene além de toda a descrição.

O segundo marujo era, pelo menos aparentemente, a inversa e a recíproca do primeiro. O seu corpo carnudo e pesado assentava sobre um par de pernas arqueadas e rechonchudas, enquanto os braços, singularmente curtos e grossos, terminados por pulsos mais que ordinários, pendiam-lhe aos lados, balançando-se no ar como as barbatanas de uma tartaruga marinha. Tinha os olhos muito pequenos, sem cor definida e profundamente cravados nas órbitas. O nariz ficava enterrado na massa de carne que lhe envolvia as faces redondas, cheias e vermelhas; o lábio superior, grosso e rosado, repousava complacentemente sobre o inferior, ainda mais grosso, com um ar de satisfação pessoal, aumentada pelo hábito que tinha o proprietário dos ditos lábios de lambê-los de vez em quando.

Evidentemente, este último olhava para o seu camarada de bordo com um sentimento meio de espanto meio de sarcasmo; e, às vezes, quando o contemplava frente a frente, parecia o sol avermelhado, contemplando, antes de se deitar, o cume dos rochedos de Ben Nevis.

Contudo, a peregrinação dos dois amigos pelas diferentes tavernas da vizinhança, durante as primeiras horas da noite, havia sido variada e cheia de acontecimentos. Mas os recursos econômicos, por mais vastos que sejam, não podem durar sempre; era, pois, com as algibeiras vazias que os nossos amigos se aventuraram a entrar na taverna em questão.

No momento em que começa esta história, Legs e o seu companheiro Hugh Tarpaulin estavam sentados defronte de uma enorme mesa de carvalho, com os cotovelos apoiados e a cara metida entre as mãos. De vez em quando, olhavam de soslaio para as palavras sinistras: "Não vendemos a crédito" (com grande espanto e indignação sua) estavam escritas sobre a porta, em caracteres de giz. Não que a faculdade de decifrar aqueles caracteres escritos (faculdade então considerada entre o povo quase tão cabalística como a arte de traçá-los) pudesse, com estrita justiça, ser imputada aos dois discípulos do mar, mas algo havia na figura e no conjunto daquelas letras que pressagiava, na opinião dos dois marítimos, grande temporal e que os decidiu, de repente, segundo a linguagem metafórica de Legs, a arrear os mastros e a fugir diante do vento.

Na consequência daquela decisão, os dois amigos, depois de terem consumido o resto da cerveja, abotoaram convenientemente os casacos e bateram em retirada. Tarpaulin entrou ainda duas vezes na chaminé, julgando que era a porta da rua, mas por fim conseguiu sair e, meia hora depois da meia noite, os nossos heróis esgueiravam-se, com toda a velocidade, através de um beco estreito, na direção das escadas de Santo André, imediatamente perseguidos pelo taverneiro do Alegre Lobo do Mar.

Muitos anos, antes e depois da época em que se passa esta dramática, história, o grito sinistro "A Peste!" retumbava periodicamente por toda a Inglaterra, mas mais em particular pela metrópole. A cidade estava em grande parte despovoada e, nos horríveis bairros vizinhos do Tâmisa, no meio desses becos negros, estreitos e imundos onde o demônio da peste tinha – diziam – fixado a sua residência, passeavam à vontade o espanto, o terror e a superstição.

Esses bairros estavam condenados e era proibido a toda a gente, sob pena de morte, perturbar-lhes a solidão. Contudo, nem o decreto do monarca, nem as barreiras enormes levantadas à entrada das ruas, nem a perspectiva da morte horrorosa, que era quase certa ao miserável que ousava aventurar-se naqueles locais proscritos, guardavam as habitações desguarnecidas e solitárias de serem despojadas do ferro, do cobre, do chumbo e de qualquer artigo do qual pudesse tirar-se o mínimo lucro.

Todos os invernos, na ocasião da abertura anual das barreiras, era comprovado que as fechaduras, os ferrolhos e os subterrâneos secretos tinham servido de pouco para proteger as amplas provisões de vinhos e licores que muitos negociantes da vizinhança, em consequência dos perigos e dos incômodos do deslocamento, tinham resignado a confiar, durante o período da proscrição, a uma garantia tão insuficiente.

Mas, entre o povo aterrorizado, poucas pessoas atribuíam esses fatos a mãos humanas; os espíritos, os duendes da peste, os demônios da febre, eram para o povo os verdadeiros criminosos. Contavam-se, a este respeito, tantas histórias e tão horríveis que, por fim, toda a massa das edificações condenadas foi envolvida no terror, como num sudário, e até os próprios ladrões, espantados pelo terror supersticioso que as suas depredações tinham criado, acabaram por abandonar o vasto circuito do bairro amaldiçoado às trevas, ao silêncio, à peste e à morte.

Foi uma das barreiras de que falamos que deteve subitamente a fuga de Legs e do digno Hugh Tarpaulin. Não podendo voltar para trás, por causa dos seus perseguidores que estavam quase sobre eles, não havia tempo a perder. Para marinheiros acostumados a escalar pranchas rústicas, era uma brincadeira; exasperados pela dupla excitação do vinho e da corrida, os dois fugitivos saltaram, pois, resolutamente para o outro lado e continuaram a sua corrida delirante, com gritos e urros, perdendo-se em pouco tempo naquelas profundezas complicadas e perigosas.

Se o vinho não lhes tivesse feito perder todas as faculdades morais, o horror da situação teria paralisado os seus passos vacilantes. O ar estava frio e enevoado. As pedras arrancadas da calçada jaziam numa desordem medonha por entre a relva alta e vigorosa. A maior parte das ruas estavam obstruídas pelas ruínas das casas desmoronadas. Um cheiro fétido e deletério reinava por todos os lados e, graças à luz pálida, que mesmo à meia noite emana sempre de uma atmosfera vaporosa e pestilencial. Estavam estendidos pelas ruas e pelos becos, ou apodrecendo dentro das habitações sem janelas, os cadáveres de muitos ladrões noturnos, detidos pela mão da peste na perpetração das suas façanhas.

Mas não estava no poder de imagens, de sensações ou de obstáculos de semelhante espécie parar a carreira de dois homens que, naturalmente destemidos, e naquela noite cheios de coragem, teriam intrepidamente entrado, tão firmes quanto o seu estado permitisse, pela própria goela da morte. Na frente, sempre na frente, corria o sinistro Legs, fazendo ressoar os ecos daquele deserto solene com urros semelhantes ao grito de guerra dos índios; e na retaguarda, sempre na retaguarda, rebolava o rechonchudo Tarpaulin, agarrado ao casaco do primeiro e ultrapassando todos os esforços, ainda os mais valorosos, do seu ágil companheiro, na música vocal, em rugidos de baixo, tirados das profundidades dos seus pulmões.

Em pouco tempo chegaram ao foco principal da peste. Então, a cada passo, ou a cada trambolhão, o caminho ia-se tornando mais horrível e mais infecto: as ruas mais estreitas e mais confusas. Pedras enormes e traves, caindo de vez em quando dos tetos arruinados, atestavam pelas suas quedas pesadas a prodigiosa altura das casas. Quando tinham de praticar alguma passagem difícil, através dos frequentes montes de caliça, não era raro que as suas mãos encontrassem um esqueleto ou se enterrassem em algum monte de carnes decompostas.

De repente, os marujos tropeçaram e caíram na entrada de uma edificação de aparência sinistra. O desesperado Legs deu um grito mais agudo que os precedentes e do interior da casa respondeu-lhe uma explosão rápida, sucessiva de gritos selvagens, demoníacos, que pareciam gargalhadas. Sem se intimidarem com aqueles sons, que, pela sua natureza, em semelhante lugar e em tal momento, teriam feito gelar o sangue em peitos menos intensamente incendiados, os nossos dois bêbados arrombaram a porta e entraram, soltando um bando de imprecações.

A sala em que foram cair era por acaso uma agência funerária. A um canto, junto da porta, havia um alçapão aberto que se abria para uma série de adegas, cujas profundezas, como revelou um som de garrafas a quebrarem-se, estavam bem fornecidas do seu conteúdo tradicional. No meio da casa via-se uma mesa posta; no meio da mesa uma taça gigantesca, cheia de ponche; garrafas de vinho e de licor juntamente com bilhas, púcaros, frascos e vasos de todas as formas e de todas as qualidades estavam espalhados por cima da mesa com grande profusão. Em redor, sentados em cavaletes fúnebres havia uma assembleia composta por seis pessoas que vamos passar a descrever uma por uma.

Defronte da porta, num lugar um pouco mais elevado que os dos outros, estava um personagem que parecia ser o presidente da festa. Era um ser de estatura descomunal, descarnado, ainda mais alto e mais magro que Legs, o que foi para este último motivo de grande admiração. A sua fisionomia amarela como uma cidra não tinha particularidade alguma digna de descrição, a não ser uma fronte tão extraordinária e horrorosamente larga, que, à primeira vista, parecia um boné ou uma coroa de carne, cobrindo-lhe a cabeça natural. A boca, arreganhada, tinha uma expressão de afabilidade espectral e os olhos, pequenos e fundos, luziam com o brilho singular da embriaguez. Trajava um manto de veludo negro, ricamente bordado, que o cobria desde a cabeça até aos pés, flutuando ligeiramente em volta do corpo como uma capa à espanhola. Trazia na cabeça um penacho abundante de penas de corvo, que ele balanceava com ar de grande presunção; e na mão direita um fêmur humano com o qual acabava de tocar em um dos membros da companhia para lhe dar uma ordem.

Em frente a esse homem, com as costas voltadas para a porta, estava uma senhora cuja fisionomia não era nada menos extraordinária. Ao contrário do personagem que acabamos de descrever, não tinha que se queixar como ele da magreza anormal: A sua figura parecia-se muito, aliás, com o enorme barril de cerveja que se erguia a um dos cantos da casa. A sua fisionomia, singularmente redonda e vermelha, tinha a mesma particularidade que mencionamos já no caso do presidente; quer dizer que uma só feição do seu rosto merecia caracterização especial. O fato é que o perspicaz Tarpaulin viu logo que a mesma observação podia aplicar-se a todas as pessoas da assembleia; cada uma parecia ter aproveitado para si um bocado de fisionomia. Na dama em questão, esse bocado era a boca, uma boca que começava na orelha direita e acabava na orelha esquerda, desenhando um abismo medonho onde os brincos mergulhavam a cada instante, apesar dos esforços que ela fazia para a conservar fechada. A sua toalete consistia num sudário cuidadosamente engomado, afogado no pescoço por uma gola de musselina.

À sua direita estava uma jovem minúscula, que ela parecia proteger. Essa delicada criaturinha apresentava no tremor dos dedos macilentos, no desmaiado dos lábios e na cor lívida do rosto sintomas evidentes de uma tísica incurável. Contudo, havia em toda a sua pessoa, na maneira elegante de vestir uma bela e comprida mortalha de cambraia finíssima que a envolvia, na graciosidade singela do penteado e no meigo sorriso que lhe pairava nos lábios um certo atrativo simpático e uma grande distinção; mas o nariz extremamente comprido, delgado, sinuoso e pustulento passava-lhe para baixo do lábio inferior; e essa tromba, apesar da delicadeza com que ela a manobrava de um para o outro lado com a ponta da língua, dava à sua fisionomia uma expressão um tanto equívoca.

Do outro lado, à esquerda da dama hidrópica, estava um velhinho inchado, asmático e gotoso. As faces pousavam em cima dos ombros como dois enormes odres de vinho do Porto. Tinha os braços cruzados e uma das pernas, envolvida em ligaduras, pousada sobre a mesa. O seu ar era assaz importante. Evidentemente tirava grande orgulho do invólucro pessoal, principalmente de um sobretudo de cor vistosa que devia efetivamente ter-lhe custado muito dinheiro; era feito de uma dessas gualdrapas de seda, curiosamente bordadas, pertencentes aos escudos gloriosos que se costumam suspender, na Inglaterra e noutras partes, num lugar bem patente nas casas das grandes famílias ausentes.

À direita do presidente estava um cavalheiro de calção e meia branca que tremelicava constantemente de um modo visível, com um tique nervoso, a que Tarpaulin chamou os terrores da embriaguez. Tinha os queixos atados com uma ligadura de musselina e os braços ligados do mesmo modo pelos pulsos, o que não lhe permitia servir-se, muito à vontade, dos licores que estavam na mesa; precaução necessária, segundo a opinião de Legs, tendo em vista a expressão embrutecida da sua fisionomia, cuja feição predominante era um par de orelhas prodigiosas, completamente impossíveis de esconder, que surgiam no espaço, arrebitando-se de vez em quando, como que atacadas de espasmos, ao ruído de cada garrafa que se desrolhava.

Defronte deste estava o sexto e último personagem, o qual, sofrendo de paralisia, devia, a falar a verdade, sentir-se seriamente incomodado dentro da extraordinária vestimenta que o comprimia. Essa vestimenta – talvez única no seu gênero – consistia num bonito esquife de mogno, novo em folha. A tampa do caixão caía-lhe sobre a cabeça como um capacete, dando a toda a sua fisionomia uma expressão de indescritível interesse. Os braços passavam através de duas cavas abertas dos lados ao jeito de mangas, tanto por elegância como por comodidade; mas apesar disso o traje do desgraçado impedia-o de se sentar como os outros convivas e obrigava-o a ficar encostado ao cavalete, formando com este um ângulo de quarenta e cinco graus. Os seus olhos, de um tamanho extraordinário, volviam e dardejavam para o teto os terríveis globos esbranquiçados, como que no espanto absoluto da própria enormidade.

Em vez de copo, cada convidado tinha diante de si metade de um crânio. Por cima deles via-se um esqueleto humano, suspenso por meio de uma corda atada à perna direita e presa ao teto por um gancho de ferro. A outra perna, completamente solta, pendia do corpo em ângulo reto, fazendo dançar e piruetar toda a carcaça desconjuntada a cada rajada de vento que penetrava na

O Gato Preto

sala. O crânio dessa coisa horrorosa continha uma certa quantidade de carvão aceso, que derramava sobre toda a cena uma claridade vacilante, porém viva; caixões, tumbas e todos os diferentes artigos de um armazém de trastes fúnebres, empilhados a uma grande altura, impediam os raios da luz de se escapar para a rua.

Diante daquela assembleia extraordinária, do seu aparato ainda mais extraordinário, os nossos dois marujos não se portaram com o decoro que se teria podido esperar deles. Legs, encostando-se à parede mais próxima, deixou cair o queixo ainda mais do que o costume e desenrolou os vastos olhos em toda a sua extensão, ao passo que Hugh Tarpaulin, baixando-se a ponto de quase pôr o nariz em cima da mesa e batendo com as mãos nos joelhos, soltou uma gargalhada estridente, ou seja, um rugido longo, ruidoso e atroador.

Sem se escandalizar com uma conduta tão prodigiosamente grosseira, o presidente sorriu muito agradavelmente para os dois intrusos, cumprimentou-os com um movimento de cabeça cheio de dignidade, levantou-se, deu o braço a cada um e conduziu-os para os cavaletes que as outras pessoas da assembleia acabavam de instalar em sua honra. Legs não fez a mínima resistência e sentou-se onde o mandaram, mas o galante Hugh transportou o seu cavalete para o outro lado da mesa, colocou-o na vizinhança da pequena tísica da mortalha, sentou-se ao lado dela e, despejando um crânio de vinho, bebeu-o em honra de relações mais íntimas. Em consequência do atrevimento, o hirto cavalheiro do esquife pareceu imensamente furioso e isso teria podido dar lugar a sérias consequências se o presidente, batendo com o seu cetro em cima da mesa, não tivesse chamado a atenção dos presentes para o discurso seguinte:

– A feliz ocasião que se apresenta obriga-nos...

– Pare com isso! – interrompeu Legs com grande seriedade. – Pare com isso e diga-nos, antes, quem diabo são vocês todos e o que fazem aqui, equipados como os demônios no inferno, bebendo desta maneira a boa bebida do nosso honrado camarada Will Wimble, o agente funerário!

Àquela imperdoável amostra de má educação, toda a assembleia se agitou, entoando rapidamente um coro de gritos diabólicos semelhantes aos que tinham primeiro atraído a atenção dos marujos. O presidente, todavia, não tardou a recobrar o sangue frio e, voltando-se para Legs com toda a dignidade, respondeu:

– É com a melhor das vontades que satisfazemos a curiosidade de hóspedes tão ilustres, embora não tenham sido convidados. Saiba, pois, que sou o monarca deste império, onde reino absolutamente sob o título de Rei Peste I. Esta sala, que vocês supõem muito injuriosamente ser a loja de Will Wimble, contratador de enterros – homem que não conhecemos e cujo nome plebeu jamais, até agora, ressoado aos nossos reais ouvidos –, esta sala, digo, é a sala do trono do nosso palácio, consagrada aos conselhos do reino e a outros destinos de uma ordem sagrada e superior. A nobre dama sentada defronte de nós é a Rainha Peste, nossa Sereníssima esposa. Os outros personagens ilustres que veem são todos da nossa família; todos têm nos nomes respectivas provas da origem real: Sua Graça o Arquiduque Peste-Ífero; Sua Graça o Duque Peste-Ilencial; Sua Graça o Duque Tempestuoso; e Sua Alteza Sereníssima a Arquiduquesa Anna-Peste.

– Quanto à sua pergunta – acrescentou –, relativamente aos negócios que tratamos aqui em conselho, é inútil dizer que esse assunto, pertencendo unicamente ao nosso interesse real, não tem importância senão para nós. Entretanto, em consideração pelas atenções que lhes são devidas como hóspedes e como forasteiros, explicaremos que estamos aqui, esta noite, preparados por profundas e cuidadosas investigações, para examinar, analisar e determinar peremptoriamente o espírito indefinível, as incompreensíveis qualidades e a natureza dos incomparáveis tesouros da boca: vinhos, cervejas e licores desta excelente metrópole. Procedemos assim não somente por interesse pessoal, mas também para aumentar a prosperidade do soberano que não é deste mundo, que reina sobre nós todos, cujos domínios não têm limites e cujo nome é a Morte!

– Cujo nome é Davy Jones! – exclamou Tarpaulin, oferecendo à sua vizinha um crânio cheio de licor e despejando outro para si mesmo.

– Profano atrevido! – exclamou o presidente, voltando-se para o digno Hugh. – Profano e execrável patife! Acabamos de dizer que, em consideração por direitos que queríamos respeitar, mesmo nas suas desprezíveis pessoas, íamos responder às perguntas tão grosseiras como intempestivas que você teve o atrevimento de nos dirigir. Contudo, visto a sua intrusão profana nos nossos conselhos, é do nosso dever condenar, você e o seu companheiro, a beber cada qual um galão de *black strap* à prosperidade deste reino. Terão de bebê-lo de joelhos e de um só trago. Depois, se quiserem, poderão continuar o seu caminho ou ficar aqui e partilhar os privilégios da nossa mesa, conforme lhes aprouver.

– Isso seria absolutamente impossível – replicou Legs, a quem os grandes ares e a dignidade do rei Peste haviam evidentemente inspirado alguns sentimentos de respeito e que se levantara enquanto este falava. – Isso seria, digne-se Vossa Majestade refletir, uma coisa absolutamente impossível, arrumar no meu porão somente a quarta parte do licor que Vossa Majestade acaba de dizer. Não falando de todas as mercadorias que carregamos esta manhã a bordo e sem mencionar as diversas cervejas e licores que embarcamos esta noite nos diferentes portos, trazemos um forte carregamento de coisas compradas na taverna do Alegre Lobo do Mar. Vossa Majestade fará a mercê de aceitar a boa vontade pela ação, porque não posso, nem quero de modo algum, engolir mais uma gota que seja, muito menos uma gota dessa vil mixórdia que chama *black strop*.

– Pare com isso! – interrompeu Tarpaulin, tão espantado com o tamanho do discurso como com a recusa do companheiro. – Pare com isso, marinheiro de água doce! Não diga nem mais uma palavra. O meu casco está ainda suficientemente leve para acolher a minha e a sua parte do carregamento. Se você não pode arrecadar nem mais um grão, eu acharei lugar para ele no meu porão, mas...

– Esse contrato – interrompeu o presidente – está em completo desacordo com os termos da sentença, que por sua natureza é módica, incomutável e não passível de apelação. O castigo que impusemos há de ser executado à letra e sem um minuto de hesitação. Aliás, decretamos que sejam amarrados um ao outro, pela cabeça e pelos pés, e afogados como rebeldes naquele barril de cerveja!

– Ora, aí está uma sentença! Que sentença! Equitativa, judiciosa sentença! É um decreto glorioso! Digna, irrepreensível e santa condenação! – gritaram ao mesmo tempo todos os membros da família Peste. O rei franziu a fronte em rugas inumeráveis. O velhinho com gota soprou como um fole; a senhora da mortalha ondulou graciosamente o nariz, da esquerda para a direita e vice-versa; o cavalheiro do calção branco arrebitou convulsivamente as orelhas; a senhora do sudário abriu a goela como um peixe agonizante; e o homem do caixão de mogno entesou-se ainda mais e arregalou os olhos para o teto.

– Ah! ah! – disse Tarpaulin, desatando a rir no meio da agitação geral. – Ah! ah! ah! Saiba o senhor Rei Peste que dois ou três galões de *black strop* são uma bagatela para um barco vasto e sólido como eu, mas quando a beber à saúde do Diabo (que Deus lhe perdoe) e a pôr-me de joelhos diante de Sua Reles Majestade (que tão certo como ser eu um pecador não é mais de que Tim Hurlygurly, o palhaço!), oh!... Bem, isso é um negócio que ultrapassa absolutamente as minhas posses e a minha inteligência.

Não o deixaram acabar tranquilamente o discurso. Ao nome do Tim Hurlygurly, todos os convivas pularam nas suas cadeiras

– Traição! – bramiu Sua Majestade o Rei Peste I.

– Traição! – exclamou o velhinho com gota.

– Traição! – latiu a Arquiduquesa Anna-Peste.

– Traição! – resmungou o cavalheiro de queixos atados.

– Traição! – rosnou o homem do esquife.

– Traição! Traição! – gritou Sua Majestade a mulher da goela; e, agarrando o desgraçado Tarpaulin pela parte posterior das calças, levantou-o ao ar e deixou-o cair, sem cerimônia, no vasto tonel da cerveja.

Tarpaulin boiou ainda durante alguns segundos e finalmente desapareceu no turbilhão de espuma que os seus esforços haviam levantado no líquido, já em si muito espumoso.

O marujo grande não viu com resignação a derrota do seu camarada. Atirando o rei Peste para dentro do alçapão aberto e tapando-o violentamente, o valente Legs proferiu uma praga medonha e correu para o meio da sala. Depois, puxou o esqueleto suspenso por cima da mesa com tamanha força e boa vontade que o arrancou, deixando a sala completamente às escuras e quebrando, ao mesmo tempo, a cabeça do velhinho gotoso. Precipitou-se então, com toda a sua força, sobre o tonel cheio de cerveja e de Hugh Tarpaulin, e despejou-a no meio do chão, produzindo um dilúvio de cerveja tão abundante, tão impetuoso e tão invasor que a sala foi inundada de uma parede à outra, a mesa deitada por terra com tudo o que tinha em cima, os cavaletes atirados uns para cima dos outros, o vaso do ponche lançado contra a chaminé. As senhoras desmaiaram, pilhas de artigos fúnebres flutuavam por aqui e por ali; os vasos, as bilhas, os frascos e as garrafas confundiam-se numa misturada horrorosa, destruindo-se uns aos outros. O homem dos tremeliques foi afogado imediatamente; o cavalheiro paralítico boiava dentro do seu esquife e o vitorioso Legs, agarrando pela cintura a volumosa dama do sudário, arrastou-a para a rua e aproou imediatamente na direção do *Free and Easy*, rebocando o temível Tarpaulin, que, tendo espirrado três ou quatro vezes, ofegava e bafejava atrás dele, arrastando consigo a Arquiduquesa Anna-Peste.

AS RECORDAÇÕES DE BEDLOE

A Tale of the Ragged Mountains, 1844

Nos fins do ano de 1827, quando eu vivia perto de Charlottesville, na Virgínia, conheci casualmente o senhor Augusto Bedloe. Desde o primeiro momento ele despertou-me curiosidade e interesse. Era impossível compreender o seu lado físico e moral. Não consegui obter nenhum pormenor positivo acerca da sua família.

Nunca soube de onde ele vinha. Quanto à idade, parecia jovem e até alardeava juventude; mas havia momentos em que ninguém hesitaria em dar-lhe uma centena de anos.

Mas o mais estranho nele era o seu aspecto exterior. Incrivelmente alto e magro, curvava-se muito ao andar, tinha a testa enorme, a boca larga e flexível, e os dentes, embora sãos, eram os mais irregulares que jamais vi numa boca humana.

No entanto, a expressão do seu sorriso não era desagradável, como se podia supor, mas exprimia uma profunda melancolia, uma tristeza constante. Os olhos eram grandes e redondos como os dos gatos, e até as pupilas tinham contrações e dilatações proporcionais ao aumento e diminuição da luz, exatamente como acontece com os felinos. Nos momentos de excitação, essas pupilas tornavam-se brilhantes até um ponto inconcebível e pareciam emitir raios luminosos nascidos de um fogo interior. Habitualmente, porém, permaneciam opacos, lembrando os olhos de um morto enterrado há muito tempo.

Todos esses detalhes pareciam incomodá-lo muito e aludia constantemente a elas num estilo meio explicativo meio justificativo que, a primeira vez que se ouvia, impressionava penosamente.

No entanto, acostumei-me bem depressa a isso e não voltei a sentir o menor mal-estar quando ele falava. Tinha a obsessão de insinuar, mais do que afirmar positivamente, que fora sempre diferente do que era agora, e que uma longa série de ataques nervosos lhe haviam transformado a sua antiga beleza pessoal. Há muitos anos que cuidava da sua saúde um velho médico chamado Templeton, que encontrara em Saratoga e que, dada a fortuna de Bedloe, consentiu em consagrar exclusivamente toda a sua experiência médica a tratar do doente.

O Dr. Templeton, que teria aproximadamente setenta anos, viajara muito durante a sua juventude e foi, em Paris, que se tornou um dos discípulos mais entusiastas das doutrinas de Mesmer. Para aliviar as dores violentas do enfermo empregava exclusivamente remédios magnéticos, conseguindo inspirar a Bedloe uma grande confiança nesse sistema de cura. Além disso, o doutor, como todos os entusiastas de uma causa ou de um sistema, tinha conseguido fazer de Bedloe um perfeito prosélito e conseguira por fim que ele se submetesse a toda a espécie de experiências. A sua repetição das experiências dera como resultado qualquer coisa que naquela época era ainda muito rara na América. Refiro-me à relação magnética, cada vez mais absoluta e forte, que se estabeleceu entre o Dr. Templeton e Bedloe. Não tenho, no entanto, a pretensão de afirmar que essa relação se estendia para além da faculdade de o adormecer, mas sim que este poder tinha uma grande intensidade. Na primeira tentativa feita para provocar o sono hipnótico, o discípulo de Mesmer fracassou por completo. Na quinta ou sexta não conseguiu mais que um resultado imperfeito e à custa de grandes esforços. Unicamente na oitava o triunfo foi completo. Desde então, a vontade do paciente sucumbiu rapidamente sob a do médico, tanto que, quando eu os conheci, o sono chegava instantaneamente por um simples ato volitivo do operador, embora o enfermo não se apercebesse da sua presença. Por isso, agora, no ano de 1845, quando todas essas coisas já deixaram de ser milagre, me atrevo a revelar um fato positivo, mas aparentemente impossível.

A personalidade de Bedloe era sensível, excitável e entusiasta no mais alto grau. A sua imaginação, singularmente vigorosa e criadora, obtinha, sem dúvida, energias adicionais pelo uso habitual do ópio, que consumia em grande quantidade e sem o qual lhe teria sido impossível viver. Tinha por costume tomar uma boa dose, imediatamente depois do café da manhã, que consistia numa xícara de café forte. Depois disso partia, sem outra companhia que a de um cão, ao longo da cadeia de montes selvagens situada a oeste e a sul de Charlottesville e que foram chamados de *Ragged Mountains* (Montes Desgarrados).

Numa manhã sombria, quente e nevoenta de novembro, e durante o estranho período de tempo que na América chamamos o verão indiano, o senhor Bedloe saiu, como todos os dias, para dar o seu passeio habitual. Chegaram, porém, às oito da noite e ainda não tinha voltado.

Seriamente alarmados por essa prolongada ausência, estávamos prestes a sair à sua procura quando reapareceu subitamente. O relato que nos fez da sua expedição e do que lhe aconteceu foi dos mais singulares.

"Devem lembrar-se – disse – que eram aproximadamente nove horas da manhã quando saí de Charlottesville. Dirigi-me para o monte e, cerca das dez, entrava num desfiladeiro completamente desconhecido para mim. Segui todas as sinuosidades daquela passagem com verdadeiro interesse. O espetáculo que se oferecia aos meus olhos, embora sem merecer o nome de sublime, apresentava um aspecto indescritível de lúgubre desolação, que muito me agradava. A solidão absoluta tinha qualquer coisa de virginal. Saboreava o prazer de imaginar que ninguém antes de mim ali pusera os pés. Era tão estreita a entrada do desfiladeiro e de tal maneira estava oculta e parecia inacessível, que esta minha crença não me parecia disparatada.

A bruma espessa e tão singular, característica do verão indiano, estendia-se pesadamente sobre tudo, e era tão densa que não se distinguiam os objetes a doze jardas de distância. O caminho apresentava-se cheio de curvas, e a ausência da luz solar tornava-o de tal forma vago que perdi por completo o sentido da direção. Não se esqueçam também de que o ópio tinha produzido o seu efeito costumado, aumentando a intensidade emocional do meu mundo interior. O estremecer de uma folha, a cor de uma hastezinha de erva, a forma caprichosa de uma moita de trevo, o zumbido de uma abelha, o brilho de uma gota de orvalho, o suspiro do vento, os vagos perfumes que vinham do bosque, produziam-me um mundo de sugestões, uma procissão mágica de pensamentos desordenados e rapsódicos. Absorto nos meus sonhos, caminhei muitas horas, durante as quais a névoa se foi tornando mais espessa à minha volta, o que me obrigava, em algumas ocasiões, a andar tateando com as mãos. Um indefinível mal-estar, uma espécie de irritação nervosa que me fazia estremecer o corpo, apoderou-se de mim. Houve um momento em que tive medo de avançar e de me precipitar nalgum abismo. Lembrei-me também das estranhas histórias dos Montes Desgarrados, das raças selvagens que habitam os seus bosques, da sua selva e das suas cavernas. De súbito, a minha atenção foi atraída pelo rufar de um tambor.

Como é natural, fiquei estupefato. Um tambor naqueles lugares era uma coisa insólita. Não me surpreenderia mais o soar da trombeta do Arcanjo. Mas não tive tempo de continuar na minha perplexidade, porque outro fato mais extraordinário chamou a minha atenção.

Senti aproximar-se um tinir estranho, como o que produziria um molho de chaves batendo umas nas outras, e quase imediatamente passou à minha frente, soltando um grito agudo, um homem meio nu, de rosto muito moreno. Passou tão perto de mim que senti na face a sua respiração ardente. Levava na mão um objeto feito de anilhas de ferro, que ia sacudindo à medida que corria. Mal desaparecera na névoa quando, arquejante, se lançou em sua perseguição uma fera enorme, com a goela aberta e os olhos em brasa. Conheci-a logo: era uma hiena. A vista desse monstro, em vez de aumentar o meu terror, tranquilizou-me, porque então fiquei convencido de que sonhava e fiz todos os esforços para despertar.

Comecei a andar mais rapidamente que antes. Esfreguei as pálpebras, gritei muito alto, belisquei-me nos braços, e, aproveitando uma pequena fonte que encontrei, lavei as mãos, a cabeça e o pescoço. Senti dissiparem-se as sensações equívocas que até aí me tinham atormentado e pareceu-me até, ao voltar a mim, ser um homem diferente. Já em melhor disposição de ânimo, continuei a andar pela senda desconhecida.

Não tardei a sentar-me junto de uma árvore, quase esgotado pelo exercício e pelo peso da pressão atmosférica. Naquele momento, apareceu um tênue raio de sol que recortou a sombra das folhas sobre a erva, vagamente. Olhei espantado para essa sombra e, depois, levantei os olhos. A árvore era uma palmeira.

Ergui-me rapidamente num estado de agitação terrível. Já não podia atribuir ao sono o que via. Tinha a certeza de estar em pleno uso das minhas faculdades, e, no entanto, os sentidos traziam à minha alma um mundo de sensações inéditas e singulares.

O calor era intolerável; a brisa tinha um perfume penetrante. Um murmúrio profundo e contínuo, como o de um largo rio, chegou aos meus ouvidos, misturado ao rumor característico da multidão. Enquanto eu escutava, o vento, como uma varinha mágica, dissipou a névoa que cobria a terra e encontrei-me num vale através do qual passava majestosamente um grande rio, ao pé de uma montanha enorme. Nas margens do rio erguia-se uma povoação de aspecto oriental, como as descritas em «*As mil e uma noites*», mas com um aspecto ainda mais estranho. Do lugar onde eu estava, muito acima do nível da povoação, podia observar todos os seus aspectos como se estivessem desenhados num mapa. As ruas eram inumeráveis e entrecruzavam-se irregularmente em todas as direções, largas como avenidas, e cheias de gente.

As casas eram extraordinariamente pitorescas, com grande profusão de balcões, terraços, minaretes e torrezinhas de fantásticas ameias. Eram numerosos os bazares, e as mais ricas mercadorias eram exibidas neles com enorme abundância: sedas, musselinas, alfaias magníficas e joias preciosas. Entre a multidão, havia palanquins e liteiras, no fundo dos quais se viam vultos de mulher, com o rosto severamente velado. Passavam elefantes cobertos de panos faustosos, ídolos talhados grotescamente, bandeirolas, lanças, tudo no meio do som múltiplo dos tambores e dos gongos. Noutros lugares, entre milhares de homens negros e amarelos com turbantes de cores vistosas e barbas flutuantes, circulava uma porção de bois cobertos de fitas, enquanto legiões de macacos sujos e sagrados trepavam, palradores, às cornijas das mesquitas ou se dependuravam nos minaretes e nas torrezinhas. Ruas cheias de gente desciam para os cais junto ao rio inumeráveis escadarias que conduziam aos banhos, e, mesmo dentro das águas, era difícil encontrar uma passagem livre através dos navios engalanados que sulcavam a sua superfície, por todos os lados.

Na parte exterior dos muros da cidade havia majestosos bosques de palmeiras e coqueiros e de outras árvores seculares, gigantescas e solenes. Aqui e ali avistava-se um arrozal, a cabana de um camponês, uma cisterna, um ou outro templo solitário, ou a silhueta pura e graciosa de uma rapariga dirigindo-se para o rio com o cântaro biblicamente pousado na cabeça. Parecia que tudo isto era um sonho. De forma alguma. Tudo aquilo que eu via, ouvia, palpava, nada tinha que ver com a forma característica e inconfundível do sonho. Quando alguém, sonhando, dá conta do seu estado, a sua suspeita não deixa de confirmar-se e a pessoa adormecida desperta imediatamente. É certa a afirmação de Novalis quando diz que estamos mais perto de despertar quando sonhamos que sonhamos. Se aquele espetáculo se me tivesse oferecido, tal como o descrevi, sem que suspeitasse de que se tratava de um sonho, então poderia ter sido realmente um sonho. Mas apresentando-se como eu disse, suspeitado e comprovado como foi, tenho de classificá-lo noutra espécie de fenômenos."

– Nisso não creio que o senhor se engane – observou o Dr. Templeton.

– Mas continue. O senhor dizia que se levantara e se dirigira para a cidade...

Augusto Bedloe olhou profundamente para o doutor.

"Justamente. Como o senhor diz, levantei-me e dirigi-me para a cidade. Em breve me encontrei no meio de uma imensa multidão que seguia em determinado sentido, dando mostras da maior agitação. Subitamente, por virtude de um inconcebível influxo, senti-me penetrado de interesse pelo que ia acontecer. Tive até o pressentimento de que ia representar o papel principal, sem compreender exatamente qual seria.

Um estranho e profundo sentimento de hostilidade fez-me odiar a multidão e fugir dela para entrar na cidade por um estreito e afastado caminho. Tudo à minha volta era tumulto e discórdia. Grupos de homens meio índios meio europeus lutavam contra outros que vestiam uniformes ingleses. Sem reparar no que fazia, agarrei nas armas de um oficial morto e comecei a ferir a torto e a direito com a ferocidade nervosa do desespero.

Depressa fugimos vencidos pelo número e fomos obrigados a nos refugiar numa espécie de quiosque, onde nos fortificamos, ficando momentaneamente em segurança. Através de uma floresta, do alto do quiosque, vi que a multidão, furiosamente enraivecida, assaltava um formoso palácio situado na margem do rio, e, em breve, de uma das janelas superiores do palácio, vi descer uma personagem de aspecto efeminado, que, servindo-se de uma corda feita de turbantes, conseguiu chegar até uma embarcação, na qual fugiu para a margem oposta.

Então dirigi-me aos meus companheiros e, com palavras precipitadas, mas enérgicas, convenci-os a sairmos da nossa fortaleza. Lançamo-nos entre a multidão assaltante, que a princípio recuou mas que logo retrocedeu para lutar com nova coragem. Por fim, vimo-nos perdidos em ruas estreitas, ladeados por altos edifícios que as sombreavam, e onde nunca chegavam os raios do sol.

A população caiu impetuosamente sobre nós, ameaçando-nos com as lanças e fazendo-nos curvar a cabeça sob uma nuvem de flechas. Eram curiosas essas flechas, semelhantes aos kriss retorcidos dos malaios, semelhantes a serpentes, pois são grandes e negros como elas e têm a ponta envenenada. Uma dessas flechas feriu-me na fonte direita. Dei uma volta e caí pesadamente. Um mal instantâneo e terrível se apoderou de mim, agitei-me convulsivamente, tentei respirar e por fim pareceu-me que morria.".

– Suponho – exclamei sorrindo – que o senhor já não se obstinará em teimar que a sua aventura não foi um sonho! A não ser que esteja disposto a sustentar que está morto...

Esperava, ao pronunciar estas palavras, que Bedloe me respondesse artificiosamente, mas com grande espanto meu, vi-o empalidecer até à lividez, o corpo estremecer estranhamente e guardar silêncio. Então olhei para Temple-

O Gato Preto

ton. Estava imóvel na sua cadeira, os dentes batiam-lhe e tinha os olhos quase fora das órbitas.

– Continue – disse por fim a Bedloe em voz rouca.

– Durante alguns minutos – continuou Bedloe – a minha única sensação foi a da noite e a do não ser, com a consciência da morte. Por fim, uma sacudidela violenta e súbita, como um choque elétrico, atravessou a minha alma e recobrei com ela o sentido da elasticidade e da luz. Digo o sentido porque não via a luz, mas sentia-a. Pareceu-me que abandonava a terra, mas que já não possuía presença corporal, visível e palpável.

"A multidão retirara-se. O tumulto cessara. A cidade estava tranquila. Debaixo de mim, jazia o meu corpo com a flecha cravada na fronte, com o rosto desfigurado e terrivelmente inchado.

"Mas tudo isto eu não o via; sentia-o. Nada me interessava e parecia-me nada ter de comum com o cadáver. Esvaíra-se a vontade e pareceu-me que voava para fora da cidade, seguindo o mesmo caminho que pisara para entrar nela.

"Quando cheguei ao desfiladeiro, ao próprio lugar onde encontrara a hiena, senti novo choque, como o que é produzido pela corrente de uma pilha, e a sensação de peso, de volição e de substância tornou a entrar em mim. Voltei a ser eu mesmo, o meu próprio indivíduo, e orientei rapidamente os meus passos para aqui, mas sem que o que se passara perdesse a energia viva da realidade. Desta forma, nem sequer por um minuto posso contradizer a minha inteligência considerando que tudo tenha sido um sonho."

– E não é – disse Templeton com um ar de solenidade profunda. – Mas seria difícil encontrar o termo que melhor definisse o fenômeno. Suponhamos que a alma do homem moderno se encontra à beira de prodigiosas descobertas psíquicas. Contentemo-nos, por enquanto, com esta hipótese, e vejamos esta aquarela, que já lhes teria mostrado se um indefinível sentimento de horror não tivesse me impedido.

E apresentou-nos uma pintura que, para mim, nada tinha de extraordinário, mas cujo efeito sobre Bedloe foi prodigioso.

Apenas a viu, quase desmaiou, e, no entanto, não era mais do que uma miniatura, um retrato maravilhosamente acabado da sua própria fisionomia tão original. Pelo menos, foi isto, naturalmente, o que me ocorreu ao vê-lo.

– Vejam os senhores a data da pintura – disse Templeton. – É bem visível aqui, neste canto: 1780. Foi feita, sem dúvida, neste mesmo ano. Trata-se de um amigo meu, já falecido, um tal Oldeb, de quem em Calcutá fui muito íntimo durante o governo de Warren Hasting. Eu tinha então vinte anos. E quando o vi pela primeira vez, amigo Bedloe, em Saratoga, a milagrosa semelhança que existia entre o senhor e este retrato fez com que eu procurasse a sua amizade e tentasse realizar a combinação de nunca nos separarmos. Ao fazer isto, era impelido, principalmen-

141

te, não pela triste recordação do falecido, mas por uma inquietação não desprovida de terror e de curiosidade. Ao relatar a visão que teve na montanha, o senhor descreveu minuciosamente a cidade indostânica de Benares, nas margens do rio Sagrado. Os tumultos, os combates e as cenas de extermínio foram episódios reais da insurreição de Cheyte-Sing, em 1780, quando a vida de Hasting corria os maiores perigos. O homem que fugiu valendo-se dos turbantes dos seus criados era o próprio Cheyte-Sing. A tropa do quiosque era composta de cipaios e oficiais ingleses, capitaneados pelo próprio Hasting. Eu fazia parte desse destacamento e empreguei todos os esforços para impedir a imprudente e fatal saída do oficial que caiu morto pela flecha envenenada de um bengali. Esse oficial era o meu queridíssimo amigo Oldeb. O senhor verá por este manuscrito – e o narrador mostrava um livro de notas de que algumas páginas pareciam de data muito recente – que, enquanto o senhor pensava essas coisas no meio do monte, eu estava ocupado aqui, em sua casa, a escrevê-las no papel."

Uma semana aproximadamente depois desta conversa foi publicado num jornal de Charlottesville o seguinte comunicado:

"Cumprimos o doloroso dever de anunciar a morte do senhor Augusto Bedlo, um cavalheiro cujo excelente trato e afáveis qualidades o tinham tornado muito estimado dos nossos conterrâneos.

Há já algum tempo que o senhor Bedlo sofria de umas terríveis nevralgias, que por várias vezes lhe iam causando a morte; mas, no entanto, a causa do seu falecimento foi bem diferente. Numa excursão feita há dias aos montes Desgarrados contraiu uma febre seguida de congestão cerebral. Para o aliviar, o Dr. Templeton pensou que seria oportuna uma sangria local e aplicaram-se sanguessugas nas fontes. O senhor Bedlo faleceu quase imediatamente e, ao ser examinado o recipiente que continha as sanguessugas, viu-se então que, desgraçadamente, havia entre elas um desses vermes venenosos tão abundantes nesta região. A sua extrema semelhança com a sanguessuga medicinal deu lugar à confusão. E, no entanto, a sanguessuga venenosa de Charlottesville pode distinguir-se da medicinal pela sua cor negra e especialmente pelas suas contorções vermiculares, que se parecem muito com as de uma serpente.

Falando com o diretor do jornal, perguntei-lhe dias depois por que tinha escrito o nome do falecido suprimindo-lhe o *e* final. O diretor encolheu os ombros:

– Foi uma simples falha tipográfica. Já se sabe que o nome era Bedloe com um *e* final e nunca o vi escrito de outra forma.

Eu pensei então numa verdade muito mais estranha que todas as ficções. Os outros podiam supor que se tratava de uma falha tipográfica, mas, na realidade, a palavra Bedlo, sem *e* final, não é outra senão a palavra Oldeb ao contrário.

**CONFIRA NOSSOS
LANÇAMENTOS AQUI!**

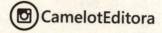